KB171964

단단한 마음만 있다면

흔들리는 건 네가 아니라 바람이다.

단단한 마음만 있다면 흔들리는 건 네가 아니라 바람이다.

발 행 | 2024년 2월 23일
저 자 | 손유진
기 획 | 생각잡스 손유진
디자인 | 생각잡스 손유진
펴낸이 | 한건희
펴낸곳 | 주식회사 부크크
출판사등록 | 2014.07.15.(제2014-16호)
주 소 | 서울특별시 금천구 가산디지털1로 119 SK트윈타워 A동 305호
전 화 | 1670-8316
이메일 | info@bookk.co.kr

ISBN | 979-11-410-7358-9

www.bookk.co.kr

단단한
마음만 있다면
흔들리는 건
네가 아니라
바람이다

손유진 지음

CONTENT

들어가며

살아가는 일은 버겁다. 어쩔 땐 숨이 턱 막혀 한 발짝도 못나갈 것 같은 버거움을 느끼기도 한다. 나는 무엇을 위해 이 세상에 태어났을까. 세상에 쓸모없는 것은 없다는데 나는 무슨 소용으로 이곳에 왔는가를 끊임없이 질문해본다. 내 안으로의 질문은 답을 찾지 못하고 이리저리 헤매다 타인의 글과 이야기로 조금씩 자아를 찾아가는 중이다.

인생은 괴롭다. 처음부터 그랬다. 인생이 즐겁다고 말하는 사람은 별종이다. 인생을 진지하게 살아본 사람은 인생의 괴로움을 두 배로 느낄 것이다. 그러나 그 괴로움 속에서도 우리는 의미 있는 일을 계속해나가고 있다. 바로 '내면의 뿌리를 깊이 내리고 있는' 중이다. 매일 같은, 반복되는 삶 속에서 의미를 발견하고, 그것이 우리를 더욱 단단하게 만들어준다.

"단단한 마음만 있다면 흔들리는 건 네가 아니라 바람이다"는 이러한 삶의 모습이 녹아져 있다. 46년 인생은 짧다면 짧지만 한 그루의 나무가 깊이 뿌리를 내리는 데는 충분한 시간이다.

삶이 주는 고통과 시련은 누구에게나 온다. '왜 나에게만'이 해당되지 않는다. 어떻게 대처하고 극복하느냐의 차이다. 이 책에서는 대단한 해결책을 보여주는 것은 아니다. 그저 매일을 보내면서 깨달은 소소한 것들을 기록해두었다. 세찬 바람으로 흔들리며 걷는 한이 있더라도 꿋꿋이 자신의 길을 걸어가라고 말해주고 싶었다.

매일 바람이 불고, 혹은 햇살의 나날이 매일 이어지지 않듯이 시간과 세월은 변한다. 변화무쌍한 인생을 단단한 마음으로 그대로 받아드리는 일상을 보여줄 뿐이다.

인생을 살아가면서 우리는 끊임없이 자신의 존재 의미와 목적에 대해 질문한다. 질문 없이 하루하루를 살아가는 사람은 없을 것이다. 어릴 때 재잘거리며 입 밖으로 내뱉던 수많은 질문들은 어느덧 안으로 안으로 삼켜 쏟아내고 있다. 질문은 우리를 괴롭히고 방황하게 만들기도 하지만, 자아를 찾아가는 일부다. 꼭 정답을 찾기 위해서라기 보다는 존재의 확인이다. 뿌리내림이다.

어떠한 바람이 불어와도 흔들리지 않는 삶을 살아가기 위한 것이다. 오늘도 나는 내 안으로 삼키고 곱씹는 질문들도 가득하다. 다 자란 뿌리같지만 땅은 속은 깊어 더 깊이 들어갈 수 있는 공간이 충분하다. 이 뿌리 내림은 나를 더 단단하게 지탱해줄 것이다. 바람이 아무리 불어도 나는 흔들리지 않는다. 내 안의 뿌리는 지금도 성장 중이다.

제1화 마음의 뿌리를 깊게 내리며

제1화
마음의 뿌리를 깊게 내리며

우리는 모두 어디로 향해 가고 있는 것일까?

목요일은 출근날이다. 일주일에 두 번 출근하는데, 거리가 있다는 이유와 양육할 어린아이들이 셋이나 있다는 이유로 한 달에 몇 번 출근하지 않는다. 회사의 배려다. 몇 주 동안 얼굴을 내비치지 못해 이번 주는 어떻게든 하루라도 출근을 해야겠다 싶어 새벽부터 분주하게 준비한다.

8시 54분 등원인 막내를 유치원 등원차량에 태우고 출발하려면 1부터 10까지 순서를 정해두고 일정대로 움직여야 차질이 없다. 차이가 생기는 걸 싫어하는 성격이라 어떤 목표가 있으며 역으로 계산해서 빈틈이 생기지 않도록 움직인다. 첫째와 둘째 아이가 방학 중이라 아이들 공부와 오전 할 일을 체크하는 일부터 막내를 케어하고, 출근 준비까지 하려면 마음만큼 손발이 재발라진다.

새벽 5시부터 움직이기 시작했다. 화장과 머리 손질, 입고 나갈 옷을 미리 준비해 두고 큰아이들의 오전 공부를 체크한다.

"일지 썼니?" 방학 중, 자유롭게 풀려있는 시간을 붙들어 매려면 계획이라는 것이 필요하다. 그것도 꼼꼼하게 말이다. 그렇지 않으며 꼬삐 풀린 시간은 하염없이 흘러간다. 어제 한 일과 오늘 해야 할 일을 모두 기록해온 아이들이 노트를 내민다. 어젯밤에 썼어야 할 일기가 비어있다.

"기록은 매일 하는 게 좋아."

잔소리는 여기까지만. 오늘은 출근날이니 감정소비로 늘어질 시간이 없다.

늦게 잠든 막내를 흔들어 깨어, 반쯤 눈이 감긴 상태에서 밥을 먹인다. "유치원 가야지." 스무 번쯤 말하면 또랑또랑한 눈으로 마지막 순갈을 뜬다. 며칠 동안 한파가 심해, 아이의 옷매무새를 몇 번이고 확인한다. 감기에 걸리지 않으려면 목을 따뜻하게 감싸고,

찬바람을 막아 줄 마스크까지 씌워야 안심된다. 동동 싸매진 아이는 뒤뚱거리며 현관으로 향한다. 고개를 숙이기 힘든지 신발 입구를 찾지 못해 몇번이고 헛발질을 한다. 보다 못한 나는 들고 있는 가방 4개를 현관 바닥에 내려놓고 아이의 신발을 신긴다.
급하게 엘리베이터 버튼을 누르고 아이의 손을 잡아끌듯이 지하주차장으로 향한다.
뒷 자석에 안전하게 태우고 유치원 버스 승차하는 곳까지 차로 이동한다.
"그럼, 가볼까?"

평소 운전 습관이 곱지는 않다. 20살, 운전면허 학원을 다닐 때도 강사는 나의 난폭한 기질을 먼저 알아봤다. "레이싱 준비하는 거 아니죠? 뭐가 그리 급해요. 천천히 달리세요."

단속카메라를 피해 속도를 냈다가 줄였다가를 반복한다. 출근하는 길은 경기도 김포에서 부천까지 약 20km 정도다. 막히지 않는다면 40분 내로도 갈 수 있는 거리다. 날씨가 좋지 않거나 예기치 못한 사고들이 있을 때는 두 배의 시간이 걸리기도 한다. 항상 여유를 갖고 나오기는 하지만 오늘 5분 늦게 집을 나선 게 화근인가 보다. 네비게이션에 찍힌 도착시간은 회사 지하주차장에 출근 시간 10분 전이다. 주차하고, 엘리베이터를 잡고, 화장실에 잠시 들렀다가 갈 시간이 부족하다. 지각이 틀림없다. 조여드는 느낌이 싫다. 그래서 평소 약속을 잡더라고 늘 여유 있게 출발해서 기다리는 걸 좋아한다. 시간에 맞추려고 허둥대며 가는 걸 싫어한다. 혐오한다.

시간은 자신을 표현하는 기본 태도라고 늘 생각해 왔다. 그래서 인지 늘 시간에 민감하다. 회사 주차장에 10분만 더 일찍 도착하면 좋겠다. 그래, 딱 좋겠다.

오른발에 힘을 실어 천천히 엑셀을 밟아본다. 조금 더 깊숙이 밟아본다. 속도를 높인다. 차선도 이리저리 바꿔보고 더 짧은 줄로 서기 위해 눈, 손, 발이 모두 바쁘다.

'좋아! 이 정도면 도착 시간을 10분 정도는 당길 수도 있겠어.'

고속도로를 탈까하다가 여러 번 꼼짝하지 못하고 길에서 시간을 보내던 경험이 있어 거리는 늘어나지만 막히지 않는 도로로 가기로 했다. 이 길은 좀처럼 막히지 않는다. 막히는 구간이 몇 군데 있기는 하지만 몇 분이면 해소된다.

앞의 차들이 서서히 속도를 줄인다. 1km 전방에 단속카메라의 영향일 것이다. 예상보다 시간이 늘어난다. 정체되어 있는 차들이 늘어선다. 지금껏 이 구간에서 차가 밀려본 적이 없었다.

'사고라도 났나?'

앞차를 따라 서행하기 시작했다. 단속카메라 구간을 지나쳤는데도 앞차들의 움직임이 느리다. 차선을 이리저리 바꿔본다. 1분이라도 앞당겨보자는 마음으로 조금이라도 틈을 보이는 차들의 앞으로 추월해 나간다.

큰 버스 한 대가 보인다. 얼핏 보면 통근버스같다. 천천히 버스 뒤에 섰을 때 그제서야 하얀 두 글자가 보인다.

한자로 된 글자, 謹弔.

'아!'

그제서야 평소와 다른 정체를 이해할 수 있었다. 진한 썬팅으로 내부를 볼 수 없는 버스는 속도를 올리지 않았다. 천천히 앞으로 나아갔다. 차선을 바꾸거나 하지도 않는다.

나와 비슷하게 조금이라도 시간을 단축하려고 하는 두 대의 suv는 버스를 추월해서 달린다. 나는 버스의 뒤편에 섰다. 버스를 잠시 따라갔다. 그냥 그러고 싶었다. 뒤따르며 마음속으로 읊조려본다. '삼가 고인의 명복을 빕니다.' 애도의 마음을 보낸다. 謹弔를 붙이고 있는 버스는 속도를 내지 않는다. 천천히 나아갈 뿐이다. 출근길이라는 것을 잠시 잊었다.

아버지가 돌아가시고 서울대학교 병원에서 근조버스를 타고 멀리 시댁의 경상도 영주까지 내려가던 그때를 잠시 상상했다. 4시간이나 걸리던 그 거리에 그 길 위에서 나는 무슨 생각을 했었던가. 저 버스 안의 사람들의 슬픔을 가늠할 수는 없지만 공감할 수는 있다.

1분을 아끼려고 추월차선을 넘나들며 운전하던 나를 또 다른 나의 자아가 바라본다.

'넌 도대체 어디를 향해 가고 있는 거야?'

근조 버스는 여전히 천천히, 고인을 위한 마지막 여정처럼 조용히 나아간다. 고인에겐 더이상 서두를 필요가 없으니까.

매일 같이 빠른 속도로 살아가는 삶을 되돌아본다. 새벽부터 시작된 하루의 분주함, 아이들을 돌보고 출근 준비를 하며 늘 정신없이 바쁜 일상. 하지만 지금 이순간, 근조 버스 뒤에서 천천히 따라가며, 나는 잠시 일상의 속도를 늦췄다.

내가 어디로 가고 있는지, 왜 이렇게 바쁘게 살아가고 있는지 생각한다. 삶의 속도를 늦추고 주변을 둘러볼 시간이 필요하다는 것을 깨닫는다. 우리 모두 언젠가는 멈춰 서야 하는 순간이 온다. 누구도 피할 수 없다. 그 순간까지는 조금만 마음의 여유를 가져보자. 어차피 같은 곳을 향하는 거라면 서둘러 갈 필요는 없다.

근조 버스와 짧은 동행은 속도를 늦출 수 있는 여유를 주었다. 천천히 내 삶의 길을 이어 간다. 나는 어디를 향해 이렇게 매일같이 속도를 올려 살고 있었던 것일까.

뭣이 중헌디!

불혹의 나이가 되어서야 겨우 인생이 무엇인지 보이기 시작한다. 이제야 겨우. 하지만 여전히 나에게 인생이란 질문은 늘 막막한 벽이다. 인생을 한 문장으로 표현하는 것은 득도의 경지에 올라야 가능할 것이다. 인생은 정의 내리기에는 어렵고 살아내기에는 더욱 두려운 것이다. 그걸 알기에 타인의 인생에 함부로 끼어들고 싶지도 않고 조언도 꺼린다.

이제야 경우, '어떻게 살아야겠다'는 생각이 정돈된 정도다. 그냥 얻어지는 것은 없다. 21년 한 해 동안 읽은 책이 약 130권 정도가 된다. 대부분이 자기계발서였다. 수십 종의 자기계발서를 읽고 난 후에 그들이 말하는 공통된 핵심이 보였다.

오늘은 그 이야기를 해보고 싶다.

제목을 '마흔이 되기 전에 알면 덜 후회하는 삶을 살게 된다'정도로 해두자. 나에게도 마흔이 되기 전에 이런 조언을 해줄 인생 선배가 있었다면 조금은 다르게 살지 않았을까? 아쉬움이 남아서다.

인생에서 반드시 이른 나이에 힘써야 하는 습관이 있다면 다음의 세 가지이다.

첫째, 평생 독서와 기록 습관

둘째, 중요한 일을 먼저 하는 습관

셋째, 되돌아보는 습관(피드백)

첫째, 평생 독서와 기록은 어릴 때 습관화해 두면 좋다. 그렇지 못하다면 지금이라도 만들어 두면 삶이 조금은 윤택해질 것이다. 평생 독서는 평생 배우는 자세로 살아가자는 취지이다. 20대 몇 년간의 배움으로 평생을 우려먹는다는 것은 불가능한 시대가 되었다. 변화의 속도는 10년 단위가 아니라 몇 달로 바뀐 지 오래다. 눈뜨면 세상이 변해있는 시대다. 그들의 속도에 발맞추기가 힘들다면 어떻게 변해가는지 정도는 알아야 한다는 것이 내 생각이다. 독서를 통해서라도 지식창고를 꾸준하게 채워나가면 좋겠다. 그리고 기록해야 한다.

기록의 중요함을 호소하는 사람은 독서의 중요성을 말하는 사람만큼 많다. 읽으면 기록하고, 느끼면 기록해야 한다. 쓰기는 나를 위한 것이다. 독서도 마찬가지겠지만 누구를 위한 것이 아닌 자신을 위한 일이다. 글쓰기를 꾸준히 하는 사람들이 공통적으로 말하는 것이 있다. 다른 사람에게 보여주려고 썼던 글도 쓰는 과정에서 스스로가 가장 치유를 받는 느낌이라고. 소설가 양귀자씨의 <모순>의 에필로그에는 자신이 쓴 소설을 읽으며 치유 받는 느낌이라고 쓰여있다. 그 말에 진하게 공감한다.

일기를 쓰든, 에세이를 쓰든, 혹은 독서기록도 쓰든 어떠한 기록도 좋다. 써가며 그 속에서 자신을 정리하는 힘을 기르면 좋겠다. 모두가 글쓰기에서 얻을 수 있는 변화를 함께 느껴봤으면 좋겠다. 어떻게 하면 글을 잘 쓸 수 있을까요?라는 질문에 대부분의 작가들은 매일 정해진 시간에 쓰는 연습을 하라는 답을 한다. 첫 시작은 매우 막막할 것이다. 그 막막함이 스스로를 단단하게 만들어 주는 시간이 된다는 것을 잊지 말자. 시간을 들이고 쓰는 횟수가 늘어날수록 속도감이 붙고 어려움 없이 쓰고 있는 자신을 발견하게 된다.

둘째, 중요한 일을 먼저 하는 습관, 하루의 계획을 전날 밤 10분만 투자해서 해보자. 일주일의 계획은 금요일 밤에 해두는 것이 좋다는 것이 최근에 읽은 자기계발서의 공통된 내용이다. 계획을 세우고, 일의 우선순위를 정해 중요하지 않거나 형식적인 업무들은 스케줄에서 제외, 꼭 해야만 하는 일 위주로 하는 습관을 들인다면 이전과는 다른 성장이 있을 것이다. 계획이 없으면 타인에게 시간을 내어준다. 귀한 시간을 덜 중요하고 나에게 의미 없는 일에 나눠주고 있는 것을 아닌지 점검해보길 바란다.

적당히 상황에 따라 남의 요청을 거부, 분명한 목적의식을 갖고 비핵심적인 것을 스케줄에서 지워나가야 한다.

그렉맥커운, <에센셜리즘>, p.31

피터 드러커는 이렇게 말한다. "큰 성과를 내는 사람들은 '내가 할 일이 아니다'라고 판단되는 일에 대해서는 '아니오'라고 말을 하기 때문에 그렇게 될 수 있었던 것입니다."

비본질적인 일을 버려가면서 핵심적인 일에 노력과 시간을 들여야 한다. 바쁘게 사는 것이 성공한 삶을 말하는 것이 아니라는 것을 나이가 들어가면서 알았다. 중요한 일을 우선으로 하는 습관을 들이게 되면 삶의 가치가 조금씩 변화될 것이다. 우리 인생에서 중요한 일, 중요한 사람과 함께 하는 시간에 더 높은 가치를 매길 수 있어야 한다. 기록과 사색하는 습관을 들여 본질적인 일을 가려내는 연습을 꾸준히 해나가야 할 때다. 지금이라도.

그리고 마지막으로 돌아보는 삶, 바로 '피드백'이다. 여태 이 나이가 되도록 돌아보는 삶을 중요하게 생각해보지 않았다. 일이 잘 되어갈 때와 그렇지 않을 때는 그저 '운'으로 돌렸다.
피드백 없이는 더 나은 결과를 기대하기 힘들다. 피드백을 할 때마다 성장을 실감하게 될 것이라고 피드백예찬론자 드러커도 말하고 있다.
피드백이라고 하면 타인으로부터의 평가를 생각하기 쉽다. 여기서 말하는 피드백은 스스로 점검해보고 되돌아보는 반성의 의미다. 드러커 자신도 피드백으로 '스스로를 경영'함으로써 자기주도적으로 인생을 창조하고 있었다.(이사카야스시 지음, 드러커피드백수첩)

여기서 드러커식 강점 피드백 방법을 잠시 소개해보면 다음과 같다.

1. 자신과의 대화를 한다.
2. 대화를 근거로 목표를 설정한다.

3. 목표를 바탕으로 행동한다.

4. 목표와 성과를 비교한다.

5. 그리고 이 과정을 반복한다.

피드백은 끝이 없다. 그도 그럴 것이 생을 이어가는 동안 계속되어야 하기 때문이다. 스스로 관찰하고 피드백을 할 수 있는 습관을 들인다면 어떠한 시행착오도 경험으로 만들 수 있을 것이다. 그리고 앞으로의 경험에 시행착오를 줄여줄 것이다.

지금까지 말한 세 가지는 의식 있는 삶을 살기 위한 사람들의 필수요건이라고 해도 과언이 아니겠다. 자기계발서 수백 권을 읽고 남은 세 가지이다. 그리고 아이들을 키우면서 반드시 남겨주고 싶은 습관들이다. 긍정적인 태도, 감사하는 마음으로 살기, 일찍 일어나는 습관(미라클모닝)은 이미 많은 사람들이 알고 있어 생략했다.

N잡러에서 프러일잡러로

한 해를 마무리하는 이 시간.

마흔이 넘은 나이에도 질풍노도의 사춘기처럼 끊임없이 자아찾기를 하고 있는 모습에 누군가는 대단하다는 평가를 해준다. 정작 스스로는 여전히 갈피를 못 잡고 헤매고 있는데 주변의 과대평가로 이렇게 살아도 괜찮은 것 아닌가 하는 착각의 늪에 빠져있기도 했다.

최근 몇 년간은 개인적으로 더 혼란스러운 한 해였다. 모두가 부자가 되는 법, 새로운 메타시대로 빠르게 편승하는 법, AI시대에 살아남는 법을 배우고 있을 때, 이방인이 된 듯 떠돌고 있는 모습이 세상 한가운데서 한없이 작게 느껴졌다. 불안감을 감추기 위해 이것저것 잡히는 대로 책을 읽다 보니 어느덧 130권이 넘는 독서를 했다.

이 나이 먹도록 이렇다 할 만한 성과도 없고, 그동안 노력했던 것에 비해 결과가 미미하다는 것에 늘 불만 가득한 삶을 살고 있다. 내색만 안 했을 뿐이다.

공부도 할 만큼 하고 지금의 나이가 되도록 앞만 보고 달려왔는데 늘 누군가에게 현재 하고 있는 일을 설명하는 삶을 살아야 한다는 점이 불만족스러웠다. 직업명을 대면 두 번의 설명이 필요하지 않는 그런 명확한 직업을 가졌어야 했다고 후회했다.
설명을 하는 동안 자존감은 서서히 바닥으로 내려앉는다.

매해 성공하기 위해 더 나은 삶을 살기 위해 버둥대며 살아왔다. 열심히 헤엄쳐 나아가고 있다고 생각했는데 어느 순간 뒤돌아보니 출발점에서 멀리 떨어지지 않고 제자리 헤엄을 하고 있었다. 그 자리서 뱅글뱅글돌고 있는 자신을 발견한다.

아이들과 고군분투하면 열심히 하루하루를 살고 있는데 원을 그리며 제자리를 돌고 있는 느낌은 언제 침몰할지 모를 두려움으로 가득했다. 수면 아래에서 쉴새 없이 젓고 있는 다리가 아파 잠시라도 쉬게 되면 가라앉아버릴 것 같았다.

해마다 그 해답을 찾으려 노력했다. 어느 정도 답을 찾았다. 그동안은 문제가 무엇인지조차 인지를 못했기에 해답을 찾을 수도 없었던 것이다. 문제를 이해하지 못했는데 어떻게 답이 나올 수 있을까. 문제를 제대로 보지 않고 답만을 써내려고 하는 것이 문제였다. 그저 열심히만 살면 되는 줄 알았던 삶의 태도가 문제였다. 스스로가 어떤 사람인지를 가늠하기도 전에 남과 비슷한 삶의 궤도에만 올려놓으려 혈안이었다.

대학을 졸업하고부터 한 가지 직업에 몰두해 본 적이 없다. 쉽게 질려버리고 끈기가 없는 성격 탓에 여러 직업을 전전했다. 좋게 봐서 경험이 다양하고 호기심이 왕성한 사람으로 보이지만 끝까지 해내는 힘이 부족했다.

소위 말하는 'N잡러'다. 직업이 여러 개라고 하면 모두 부럽다는 반응을 보인다. 그런데 확실히 한 분야를 깊이 파고드는 사람과는 다른 길을 걷고 있다. 깊지 않은 웅덩이를 여러 개 파놓고 얕은 물이라도 담기길 바라는 마음으로 살고 있다.
누군가는 '그렇게 살아도 된다. 언젠가는 그러한 점들이 선이 되는 날이 올 거다'라고 하기도 한다. 점들이 이어져 선이 되기 위해서는 점과 점사이에 이어지는 보이지 않은 무수한 점들이 존재해야 한다. 그리고 그 점과 점사이에는 관련성이라는 접착제가 필요하다. 연결고리가 전혀 없는 점사이에 무수히 작은 점으로 채울 수 있는 방법을 찾는 건 힘든 일이다. 이 말은 즉, N잡을 하더라도 서로 연관성이 있는 일로 이어져야 선이 될 수 있다는 이야기다. 예를 들어 쇼핑몰을 운영하면서 디자인과 사진기술, 마케팅을 할 줄 아는 기술을 갖추는 것 말이다.

연결고리가 희미한 여러 직업을 동시에 갖는다는 것은 어느 한 웅덩이도 제대로 파지 않았다는 것을 알게 되는 순간이 왔다. 24년 올 한 해를 다잡고 갈 인생키워드는 버리기와 채우기다. 쓸모없는 물건, 생각, 일은 모두 비우고, 몰두할 수 있는 집중의 시간으로 꽉 채우는 1년으로 만들어보려 한다. 무턱대고 시작하던 일들을 계획을 세워 실행하고, 중요한 업무나 꼭 필요한 활동 위주로 해나가려 한다. 온몸에 힘을 빼고 발버둥 치지 않아도 자연스럽게 수면으로 올라오기 위해 집중하는 시간을 가져보려 한다. 힘만 빠지던 제자리 헤엄은 힘 있는 발차기 몇 번으로 앞으로 나아갈 수 있는 힘을 비축해 두어야겠다.

N잡러에서 이제는 프로라는 말을 듣는 스스로가 만족을 느낄 수 있는 집중하는 삶을 살아나가고자 한다.

PS. 마음을 다잡을 수 없고 혼란스러울 때 아무것도 하지 않으면 정말 아무것도 되지 않는다. 아무것도 할 수 없어 시도조차 두려운 그 기분은 잘 안다. 그럼에도 작은 시작을 권한다. 먼저 버리기부터다.

인간실격

"아부지 나는 아무 것도 못 됐어."

다자이오사무의 <인간실격>, 대학원 시절 학점이수를 위해 문학수업을 들어야만 했다. 근대 작가들 중 한 작품을 선정해 연구발표하는 수업이었다. 많이 알려진 작가들은 왠지 교수님이 잘 알고 계실 것 같고, 발표를 해도 잘 모르실 것 같은 작가로 선정한다는 게 '나만 몰랐던 다자이 오사무'였다. 일본 작가의 문학을 접해보지 않은 나는 대학원 시절 처음 매력적인 그 작가를 만났다.

다자이 오사무의 인간실격은 이미 많은 사람들에게 알려져 있던 작품이었다. 전공이 아닌 수업인데다 처음 접했던 작가이었기에 대충 준비할 수 없었다. 그 수업에 어학 전공인 나를 제외한 학생들은 모두 현대 문학 전공의 학생들이었다. 한 달이 넘는 시간을 투자했다. 작품도 난해한데다 문학의 기본기도 없었기 때문이다.

그에 대한 자료를 준비하면서 다자이라는 사람을 이해하기 위해 노력했다. 어떤 마음으로 썼을지 공감하게 된다면 작품을 이해하기도 수월하지 않을까하는 생각으로 말이다.

10여 년 전에 읽어본 작품이라 세세한 내용은 기억나지 않지만 그때 느꼈던 감정은 여전히 남아있다. 암울하고 우울했던 그 기억은 지금도 책장에 꽂혀있는 책의 표지만 봐도 되살아난다.

한국에서 드라마로 제작된다는 소식을 듣고 과연 한국인 정서와 맞을 수 있을까라는 생각부터 들었다. 예상대로 기대치만큼의 시청률은 나오지 않은 것 같다.

본방송을 보지 못한 나도 뒤늦게 넷플리스를 통해 몰아봤다. 예상대로 첫 회부터 느껴지는 우울함.... 어쩌면 예전 그 감정이 다시 떠오를까봐 그게 두려워 보기를 꺼렸는지도 모르겠다. 평정심을 찾아가는 연습을 하고 있던 나에게 심적인 요동침이 생기면 보지 말아야겠다고 생각하고 첫 1회를 플레이했다.

예상대로, 우울했다.
그러나, 멈출 수가 없었다.
두 주연배우의 연기력에 더해 가슴에 한 올 한 올 꽂히는 대사들에 몰입되어 갔다.

"아부지, 나는 아무것도 못됐어"
주인공 부정(전도연)의 이 한마디에 심장이 내려앉는 느낌이었다. 세상을 등지고 싶은 마음을 품고 있던 부정은 마지막 남은 자존심을 내려놓고 한 말이다. 더이상 지킬 것도 잃을 것도 없다.

서른 초반, 수많은 꿈들을 뒤로 하고 강사직이 천직이라고 생각하며 마음을 다잡고 있던 시기였다. 그럼에도 불구하고 나의 꿈은 끝나지 않았다고 자기 체면이라도 걸듯 사람들에게 했던 말이,
"전 40이 되면 훌륭한 사람이 되어 있을 거에요."
40하고도 3년이 지난 지금 드라마 대사 한 줄에 서른 초반의 그때로 돌아갔다. 그리고 잠시 꿈꿔왔던 성공이란 모습도 떠올려보았다.
"언젠가 마흔이 넘으면 서울이 아닌 어느 곳에 작은 내 집이 있고 빨래 널어 말릴 마당이나 그게 아니면 작은 서재가 있고, 아이는 하나 아니면 둘, 그리고 운이 좋으면 내 이름의 책이 있는 그게 실패하지 않은 삶이라고, 그게 아버지를 행복하게 하는 길이라고 그냥 그렇게 믿고 있었던 것 같아요."

<드라마 인간실격 부정의 유서 中>

마흔이 넘으면 훌륭한 사람이 되어있을 것이다는 것은 지금 생각하면 현실감각이 떨어지는 말이다. 여주인공 부정이의 대사처럼 집에서부터 결혼생활, 그리고 자신의 꿈에 대해서 구체적으로 말하는 것도 아닌 막연하게 '훌륭한 사람'이라니.. 훌륭한 사람=성공이라는 등식으로 생각한 것은 아닐까 한다.

실패하지 않는 삶이란 무엇인가? 그리고 성공한 삶은 어떤 삶을 말하는 것일까? 나는 지금껏 성공을 향해 손을 뻗어 왔지만 마흔이 넘은 지금 이렇다 할 만큼 손에 잡히는 성과를 이룬 것은 없다. 욕심이 과한 것일까.

부정이가 말하는 실패하지 않은 삶의 형태에 비한다면, 실패하지 않았다고도 할 수 있겠지만 그렇다고 성공했다고도 할 수 없다. "그냥 나쁜 거야. 이유가 없어. 길에서 고생하면서 키워준 아버지 생각하면서 열심히 노력하려고 했는데 노력을 어떻게 해야하는지 모르겠어"
부정은 그동안 열심히 노력하려 했는데 노력을 어떻게 해야할지 모르겠다고 한다.

그동안 성공하기 위해 열심히 앞만 보고 왔는데 어떻게 해야하는지를 모르고 달려온 것만 같은 나의 모습이 투영되는 순간이었다. 결국 아무 것도 되지 못한 40대의 외로움과 공허함이 공감되어 눈물이 났다. 그동안 나는 무엇이 되기 위해 노력해 왔던가?

부정이 아버지에게 어린아이마냥 울음을 터트리며 말하는 장면에서 9년 전 봄, 무엇이 되지 못한 딸의 모습만 보여드리고 보내드린 아버지에게 미안해졌다.

"무엇이 되기보다, 무엇을 하느냐가 더 중요해."
부정의 아버지가 말한다.

아버지가 계셨어도 같음 말씀을 해주셨을 것 같다.

PS. 인간실격을 급히 치다가 인간실력이라고 쳤다. 한 인간으로써 갖춰야할 조건을 모두 갖추지 못한 실격당한 인간, 그리고 그 사람의 실력, 왠지 모르게 연상되는 조합이라 제목은 그대로 적어보았다.

본질과 형식에 대한 고민을 하며

"質勝文則野, 文勝質則史, 文質彬彬 然後 君子

(질승문즉야, 문승질즉사, 문질빈빈 연후 군자)"

공자께서 말씀하시기를 "바탕(본질)이 꾸밈을 이기면 거칠어지고, 꾸밈이 바탕을 이기면 화려한 겉치레에 흐르니, 바탕과 꾸밈이 조화를 이룬 뒤에야 군자라고 할 수 있다."

대학 1년 때였다. 한창 놀며 꾸미기 좋아할 나이에 공부의 재미를 알았다. 하면 할수록 더 배워야 할 것과 익혀야 할 것이 늘어났다. 무언가를 배운다는 것은 이치를 밝혀 궁금증을 해소해야 하는 과정인데 배움이 깊어질수록 헤어나오기 힘든 숲속 같았다. 20대 풋풋한 나이에 화장도 하고 예쁘게 꾸미고 나가서 첫 사회생활인 캠퍼스 생활을 누려야 하는데 그 시간마저 아깝다고 여길 때였다. 그때 문득 이런 생각을 했다. 머릿속을 지성으로 가득 채우면 예쁘게 꾸미지 않아도 사람들이 알아봐 줄 것이다. 가만히 있어도 빛날 것이다.

새벽 7시부터 자정이 될 때까지 도서관에 박혀 이곳의 책을 모두 읽어버리겠다는 나름 큰 포부를 갖고 누가 봐도 재미없는 1학년을 보냈다. 학문의 즐거움에는 파묻혀 있었지만 대학 생활의 즐거움은 느끼지 못했던 그런 때였다.

해외 연수를 마치고 돌아온 3학년이 되어 화장과 머리에 신경을 쓰고 옷을 갖춰 입기 시작했다. 염색과 파마를 했는데 주변 반응이 다르다. 화장도 조금씩 곁들였더니 예쁘다는 말도 가끔 들었다. 어딜 가든 환영받는다. 내면의 가치뿐 아니라 외면의 아름다움도 중요하다는 것을 눈뜨던 순간이다.

내면을 가득 채우면 남들이 알아봐 줄 것이라는 다소 실험적인 생각을 하던 나는 외면의 아름다움도 적당히 곁들여져야 내면을 보여줄 기회가 생긴다는 것을 비로소 알게 되었다.

그때부터였다. 바탕과 본질의 균형찾기..
처음으로 대면하는 자리에서 예쁘게 치장을 하고 가면 누구든 알아봐 주었다. 친근하게 말을 건네고 내면을 보여줄 기회도 자주 생겼다. 못지않은 즐거움이었다.

외모로 본질과 형식을 단정적으로 비교하기에는 억지스러운 면이 있지만 쉽게 설명할 수 있는 예인 것 같아 이야기해 보았다. 이 외에도 본질과 형식에 대한 고민을 하게 해주는 사례들은 일상 곳곳에 있다.
아무리 값비싼 선물이라도 신문지로 돌돌 말아 건네면 제값을 보여주지 못할 것이다. 아무리 세상에 이로운 학문을 공부하더라고 시기적절하게 시류라는 형식을 갖춰 내놓지 않으면 죽은 학문이 된다. 유익한 생각을 널리 알리고 싶고 그 뜻이 진실하더라도 적당히 형식을 갖춰 하지 않는다면 추종하는 사람들이 많지는 않을 것이다.

본질이 중요하냐 형식이 중요하냐, 양자택일을 하라는 것은 다소 어리석다. 공자는 일찍이 그것의 본질을 알아본 듯하다.
'본질 없는 형식은 껍데기이고, 형식 없는 본질은 창고에 쌓일 수도 있다는 것을.'

인정(認定)하면 인정(人情)이 많아진다.

언제부터였는지는 정확하게 기억나지 않는다.
아마 결혼을 하고 나서부터였던 것 같기도 하다.
인정하면 편해진다는 지혜를 알게 된 것이.

달라도 너무 다르다. 남편과 나는 하나하나 따져보면 맞는 구석이 없다. 그리고 이상형도 아니었다. 쌍꺼풀이 없는 시원한 눈에 큰 키, 다부져 보이는 인상, 한마디로 표현하자면 내가 바라던 이상형은 연예인 소지섭같은 외모였다. 말 그대로 '이상형'이다. 쌍꺼풀이 있는 남자는 절대로 만나지 않을 거라며 대학 동기들 앞에서 했던 다짐이 어렴풋이 스쳐 지나감과 동시에 내 옆에서 진한 쌍꺼풀의 눈을 껌뻑이는 남편을 바라보니 피식 웃음이 나온다. 이상형은 이상형일 뿐, 이상하게 맞지 않는 형. 누군가 꿈꾸는 대로 이루어진다고 했지만 이상형은 그렇지 않은 경우도 있다는 것을 내 경험도 한몫해서 증명한다.

결혼하고 얼마 되지 않아서부터 참 많이도 싸웠다. 10년이 지난 지금은 뚜렷이 기억나는 굵직한 사건들 빼고는 무엇 때문에 다툼이 잦았는지도 기억나지 않는다. 33살의 나와 38살의 남편은 늦다면 늦은 나이에 결혼해서 인지 서로의 라이프스타일에 맞춰 살아가는 게 쉽지 않았다. 서로를 이해하기에는 다르게 살아온 세월만큼 시간이 필요한 일이다.

늦어진 만큼 아이도 빨리 낳아야겠다는 생각에 신혼을 즐겨볼 여유도 없이 4개월 만에 큰아이를 임신했다. 그리고 이듬해 연년생 둘째까지 생겼다. 각자를 이해하기도 전에 가족이라는 울타리가 완성되었다. 결혼하고 3년 만에 둘에서 넷이 되어버린 상황에 대화를 통해 서로를 알아가고 맞춰나갈 시간을 갖는 것은 사치였다. 그냥 맞춰야 하는 현실이 되었다.

남편은 이해되지 않는 행동을 종종 했다. 한편 남편은 자신의 입장에서 내가 이해할 수 없는 행동을 한다는 것이다. 서로가 바뀌기를 바라며 시작한 대화는 어느새 싸움으로 번지는 일이 잦았다.

신혼여행에서 알게 된 동생이 이혼 전문 법률사무소에 다닌다는 것을 알고 서류를 부탁하기도 했다. 도저히 못 참겠는 날이 오면, 저 서류를 꼭 써먹겠다고 마음먹고 안방 서랍에 고이 모셔두었다.

- 깨우침은 일순간에 오더라.

어떠한 계기가 있었던 것은 아니다. 그냥 마음이 변하기 시작했다. 모든 것이 마음에서 비롯되었다. '인정하자.' 30년 이상을 다르게 살아온 사람이 나에게 맞추기는 힘들 것이다. 나도 마찬가지로 저 사람에게 맞추어 원하는 모습으로 살아갈 수 없다. 누구도 침범하지 않았으면 하는 영역이 있으니 그 부분은 그냥 인정해주길 바라는 바가 나에게도 있었기 때문이다.

그렇게 마음을 먹기 시작하면서부터 모든 것이 다르게 보였다. 세상을 바라보는 프레임이 조금 넓어진 것이다. 남편만이 아니라, 아이들, 그리고 주변 모든 사람들에게 인정 프레임은 적용되었다. '어떻게 저럴 수가 있어? 이해되지 않아.'라는 마음은 '그럴 수도 있지','저렇게 행동하는 사람도 있구나.', '참 재미난 사람이네, 나와는 다르지만.'으로 점차 바뀌기 시작했다.

그랬더니 세상이 다양한 사람들로 넘쳐난다. 나와 다른 그들의 삶에 눈길이 간다. 넓어진 프레임으로 바라본 사람들에게 배울 점은 참 많았다. 모두가 나에게 스승이 되었다. 틀렸다고 생각하면 받아들여지지 않았던 것이 '다르다'로 인정하고 있는 그대로를 바라보게 되었더니 그들은 스승이 되었다. .

인정認定하니 인정人情이 많아지는 순간이다.
인정認定은 사람에 대한 정情이다.

당신 안에는 어떤 내면의 소리가 있나요?

중학교 때 한자와 도덕 수업에 빠져있었습니다. 남들처럼 국, 영, 수에 빠져있는 게 아니라 한자와 도덕에 빠져있던 나의 중학생 모습은 다소 엉뚱했다. 시조와 옛 선인들의 가르침이 어느 것 하나 틀린 말이 없다는 것을 그때 알았다. 일찌감치 철이 들어 또래들보다 약간 성숙한 면이 있어서 더 그랬는지도 모르겠다. 고전의 울림과 필요성을 처음 알게 된 때라고도 할 수 있다. 후에 역사학과 동양철학을 전공하게 되는 계기이기도 하다.

중학교 2학년 도덕시간. '신독'(愼獨)이라는 두 글자를 보았다.

신독은 『대학』과 『중용』에 실려있는 말이다. 의미는 '혼자 있어도 조심한다.'다. 타인에게 인정받기 위한 공부가 아니라 스스로의 인격완성을 위해 항상 누군가 보고 있다는 생각으로 조심하며 행동한다가 더 구체적인 의미가 되겠다. 몇 번을 되새겼다.

그때부터였다. 어떠한 일을 하기 앞서 늘 머릿속에 신독이라는 글자가 떠오른다. 이 단어를 알게 된 이후부터 '내면의 소리'가 되어버렸다. 혼자 있을 때도 남이 보나 보지 않으나 똑같이 행동해야 한다는 신념이 지금까지의 나를 만들어왔다.

새벽 5시, 등교 전 운동을 하러 나가야 하는 시간, 늦잠을 자고 싶어 이불속에서 밍그적 거릴 때에도 어김없이 내면의 소리가 말한다. 그 힘으로 고등학교 시절 내내 새벽 운동시간을 버텼다. 버텼다는 표현이 맞다. 입시를 위한 운동이었으니깐. 현재까지 새벽 기상으로 공부하는 습관을 만들어 준 것도 이 내면의 소리 덕이다.

당신 안에는 어떤 내면의 소리가 들리는가? 소크라테스에게는 양심에 어긋나는 일을 하지 말라고 하는 신의 목소리인 '데몬'이 있었다고 한다. 괴테에게도 데몬과 같은 소리가 있었는데 그가 말하는 데몬은 운명의 길을 걸어가게 이끄는 힘이자 본성이었다. 내면의 소리게 귀 기울여 자아를 찾은 위대한 역사 속 인물은 이 외에도 다수 있다.

어릴 때 자주 들리던 이 소리는 어른이 되어가면서 조금씩 희미해졌다. 타인들 속에 섞여 그들의 취향에 맞춰가다보니 내안의 진짜 나를 잃어가고 있었는가 보다. 이제라도 내면의 소리에 귀기울이려 한다. 나와 마주하는 시간을 점차 늘리고 있다. 어릴 때의 추억을 자주 회상하는 이유도 이 때문이다. 나의 진짜 모습을 깨닫고 운명의 소리에 관심갖고 진정한 자아를 찾고 있다. 주어진 운명이 본래 어떠한 모습이었는지 찾는 이 과정은 지금도 늦지 않았음을 이제야 깨닫게 되었다.

지금 놓치고 있는 건 없나요?

"3개월 남았습니다. 수술하셔도 의미가 없고, 항암치료로 생명을 연장하는 수밖에는 없을 것 같습니다."
건강이라면 자신하던 든든한 지지자인 아버지가 대장암 4기 그것도 말기라는 청천벽력과 같은 이야기를 듣는 순간이었다.

평소에 건강에 대한 자부심으로 그 흔한 검진도 하지 않으셨던 아버지가 어느 날 전화를 걸어오셨다. 서울 큰 병원에 가보고 싶은

데 대장 쪽을 잘 보는 곳을 알아봐 주시길 바란다는 것이다. 그때가 큰아이 출산 한 달 정도를 남겨둔 9개월 만삭 때었다. 예감이 좋지 않았다. 설마 하는 마음으로 녹색 창에 검색하여 대장암 연구센터가 있는 큰 병원으로 예약했다.

시골 병원에서는 괜찮다고 하는데 그냥 찝찝한 마음에 한번 검사해보고 싶어 오셨다고 한다. 미소도 띠면서.
사람의 예감이라는 것은 불길할수록 더 뾰족하게 잘 맞아떨어질 때가 있다.

모든 검사를 마치고 시골로 가는 버스를 기다리는 터미널에서 웃고 있는 아버지의 안색이 조금은 변한 것이 보였다. 큰 병원에서 MRI를 찍다니 보니 진짜 아픈 사람이 된 것 같아서 일테다. 아버지에게 별일 없을 거니 걱정하지 마시고 결과는 나 혼자 가서 듣고 오겠다고 했다. 그렇게 아버지는 만삭의 딸의 배웅을 받으며 가게가 걱정된다며 강원도로 향하는 버스를 타고 내려가셨다. 이 와중에도 생계를 걱정하는 아버지가 안쓰럽다.

2주 뒤 결과가 나오는 오전 시간, 1시간이 넘는 거리를 무거운 몸을 이끌고 지하철로 이동해서 갔다. 당시 30kg 이상 불어난 몸무게는 내 삶 자체도 가볍지 않게 여길게 해줄 만큼의 무게였다.
'별일 없을 거야, 아무 일 없을 거야, 아버지가 얼마나 건강한 분이신데, 절대 그럴 일 없어.'

대기 순번이 돌아올 때까지 기도문같이 주절거리며 아무렇지 않은 듯 평온한 마음을 가지려 노력했다. 내 차례다.

의사는 다급하게 당장이라도 큰일이 일어날 것 같은 안타까운 소식을 전할 만한 표정이 아니었다. 차분하다. 일단은 안심된다.
"3개월 남았습니다. 수술하셔도 의미가 없고, 항암치료로 생명을 연장하는 수밖에는 없을 것 같습니다." 단아하고 온화한 표정으로 아무렇지 않게 내뱉는 말에 듣고 있는 나도 아무렇지 않은 일처럼 느껴졌다.

다양한 환자들을 겪으면서 이런 일쯤은 수십 수백 번의 경험이라는 듯한 의사의 표정이 여전히 잊히지 않는다. 그렇게 담담하게 진료실 문을 닫고 나오는 순간 다리에 힘이 풀려 그 자리에 털썩 주저앉고 말았다.
몇 분인가를 소리 내 울다가 정신을 차리고 보니 주변 대기실 사람들의 시선이 느껴졌다. 마음을 가다듬고 겨우 엄마에게 전화를 걸었다.
아버지가 곁에 있는지를 여쭤보고 조용히 밖에 나와서 들으시라고 했다. 이 엄청난 소식을 꺽꺽거리며 울며 겨우 전달하고선 엄마에겐 아버지에게 그대로 말씀드리지 말라고 당부했다. 침묵이 이어졌다. 그렇게 전화를 끊고 둘째 동생에게 전화했다. 오진일 가능성도 있으니 다른 병원도 예약해보자고 한다.

2주 뒤 다른 병원에서 재검했다. 결과는 크게 변하지 않았다. 하지만 과정이 다르다. 아버지를 살릴 수도 있겠다는 희망을 품게 해주는 이야기를 해주셨다. '수술을 해보자는 것'이었다. 대장에서 시작되어 간으로 전이가 된 상태여서 상황은 좋지 않지만 할 수 있는 최선을 다해보겠다고 했다.
절망에 빠진 사람들이 가장 듣고 싶어 하는 말이 바로 이런 게 아닐까 싶다. '최선을 다. 해. 보겠다.'

아버지의 첫 수술이 이루어졌다. 대장 쪽 수술은 만족할 만큼 잘 되었지만, 간이 문제였다. 70% 이상 전이된 상황이라 수술로는 힘들고 항암으로 크기를 줄여나가는 게 최선이라고 한다. 힘겨운 싸움이 시작되었다. 가족 중 한 사람이 아프다는 것은 어떤 일도 별것 아닌 것으로 만드는 힘이 있다. 세상에 이보다 더한 일은 없는 것처럼 느껴졌다. 건강 외에 소중한 것은 없다는 교훈도 얻는다.

앞만 보고 열심히 살아가던 가족들이 아버지의 병으로 삶 전체를 바라보는 시간이 되었다. 가족 모두가 한마음으로 아버지의 치료에 매달렸다. 그리고 아버지는 4년 정도를 우리 곁에 더 머물러 주셨다. 아버지의 치료기간에 우리를 하나로 만들어주셨다. 남은 세 자매가 사이좋게 살아가길 바라셨을 것이다.

내 삶에 가장 소중한 것은 무엇일까? 생애 한 번도 생각해보지 않은 것을 떠올리는 시간이 되었다. 돈과 명예는 노력으로 얻을 수 있지만, 가족은 그렇지 않다. 노력으로 되는 일이 아니다. 너무 늦게 깨달았다. 암 선고 이후 4년 동안 아버지와 가장 많은 시간을 보낸 것 같다. 아버지가 건강하실 때 더 자주 찾아뵙고 많은 추억을 쌓았으면 좋았을 걸 뒤늦은 후회가 밀려왔다. 그 후회는 아버지가 가시고 나서 더 크게 남아있다.
후회하지 않기 위해 현재를 살며 그때그때 최선을 다해야 하는데 놓치며 살아가는 게 너무나도 많다. 나에게 가장 소중한 것은 지금, 바로 여기, 내 옆에 있는 사람이다. 그것도 가족이라는 것을. 늦게 알아버렸다.

마음 하나 바꿨을 뿐인데….

'모든 것이 마음에서 오는 것이다.'

모든 것이 마음(멘탈)의 문제라는 것을 깨달은 건 얼마 되지 않는다. 마음(멘탈)이 전부다. 그것을 잘 다스려야 흔들리지 않고 자기답게 사는 방법이라는 걸 알게 된 것은 인생에서 가장 큰 소득이다. 외부 자극에 좌지우지되지 않는 마음 체력을 기른 사람이 성공으로 가기 훨씬 수월하다.

여기에서 이러한 마음 체력을 '평정심'이라는 단어로 말하고 싶다. 평정심은 감정 기복이 심하지 않은 평안하고 고요한 마음이다.

어떤 일에도 크게 동요되지 않는 마음, 어떻게 보면 감정보다는 이성이 약간 앞선 사람들에게 보이는 면이라고도 할 수 있겠다.

평정심을 기르기 위해서는 어떻게 해야 할까? 모든 상황에서 감정을 우선으로 두지 않고 객관적으로 볼 수 있는 눈을 길러야 한다. 쉽지 않은 말이다. 그런데 연습하면 가능한 말이기도 하다. 그러기 위해서는 꾸준한 마음 수련과 공부가 따라야 한다. 그래야 흔들리지 않는 단단한 마음이 자리 잡는다. 그리고 자유로워진다. 이 말의 의미가 약간은 모호하게 느껴지겠지만 예를 들면 이런 것이다.

- 타인과의 관계법

단단한 마음은 타인과의 관계, 평가에 크게 동요되지 않는다. 사람은 모두 자신의 기준으로 타인을 평가한다. 그렇다는 것은 내가 정해둔 기준에 부합되는 행동을 하는 사람은 올바르고 그렇지 않으면 좋은 사람이 아니라는 결론에 이른다. 관계에서 갈등이 발생하게 되었을 때 해결하려 들어 해결되지 않을 문제 같으면 애쓰지 않는다. 애쓰는 사이 나(자신)를 잃어버리는 경험을 몇 번 해봐서이다. 그 사람의 기준에 맞지 않는다면 애쓰지 않는다는 것이다. 나를 잃어버리면서까지 그 기준선에 들어가려고 노력하지 않는다. 그리고 요즘에는 타인의 마음에 들어가서 객관적으로 생각해보려는 연습도 자주 한다. '역지사지'의 심정으로 말이다. 내가 저 사람이 이라면 어떻게 행동했을까? 어떤 말을 했을까? 하며 이 상황을 이해해 보려 한다. 그랬더니 관계가 한결 수월해졌다. 상대는 모르는 나만의 '관계 내공' 연습이다. 상대의 처지에서 생각해보면 해결하기 쉬운 일이 많아진다. 상처를 주고받는다는 것은 매우 주관적인 입장이기에 상대의 입장을 생각하는 연습을 하다 보면 이해의 폭이 넓어진다. 타인과의 관계와 평가에 '공감', '인정', '역지사지'는 매우 유용한 기술이다.

- 어려움에 대처하는 마음가짐

중년의 나이에 들어서 어떠한 문제가 발생했을 때 이런 말을 자주 한다. '별일 아니다. 시간이 흐르면 해결될 일이다. 다 지나갈 것이다.' 세월이 흐르고 나면 어떠한 일도 추억으로 남는다. 그걸 깨닫고 난 이후에는 문제가 발생하더라고 나중에 웃으며 추억으로 말할 날을 먼저 떠올려본다. 그러면 한결 마음이 가벼워진다. 그리고 내가 할 수 있는 최선을 다해본다. 그런데도 해결되지 않는 문제는 시간에 맡긴다. 시간과 함께 지나가기를. 이것 또한 살면서 켜켜이 쌓인 경험들이 남겨준 교훈이다.

- 성공을 바라보는 마음

30대를 돌아보면 나름 치열한 삶을 살았다고 생각한다. 혹시나 뒤처질까 봐 하루도 맘 편히 지내본 적이 없다. 다른 사람은 모두 성공하는데 나만 이렇게 도태되고 있는 느낌이 싫어 앞만 보고 달려왔다. '속도의 문제가 아닌 꾸준함이 답'이라는 것을 알기 전까지 말이다. 성공이라는 것은 끝까지 꾸준히 한 사람만이 할 수 있는 말이다. 자산의 축적과는 거리가 먼 이야기이다. 부의 정도로 성공을 말해서는 안 된다는 생각을 한다. 본인이 평생의 소명으로 생각하는 일을 얼마나 꾸준히 이루어가고 있느냐를 봐야 한다. 그리고 마지막에 이렇게 말해야 한다.

"성공했다."

평정심을 찾아가는 데는 두 가지 방법이 있다. 한가지는 다양한 상황에 부딪혀봄으로써 경험을 축적하는 것이다. 이것만큼 좋은 공부는 없다. 하지만 시간이 오래 걸린다는 것이 문제이다.

누구나 할 수 있는 쉬운 방법이 있다. 바로 독서와 기록이다. 나에게 독서는 지식을 쌓는다는 의미와 함께 삶을 바라보는 눈을 확대시켜주었다. 눈을 떴다는 표현이 맞겠다. 이해의 폭도 깊어졌다는 표현도 감히 쓸 수 있겠다. 옛 선인들의 가르침은 틀린 말이 하나도 없다. 얼굴 한 번 본 적 없는 어른들을 존경하는 이유가 바로 이것이다. 예나 지금이나 사람이 사는 곳에서 생기는 문제는 비슷하며 생각도 다르지 않다. 고전으로 배운 삶의 지혜는 표면이 아닌 이면까지 이해할 수 있게 해준다. 인문학은 그래서 필요하다.

배움을 기록해보고 성찰하는 시간을 갖는 것 또한 중요하다. 기록을 하다 보면 눈으로 보고 머리로 이해하는 정도를 넘어 마음을 헤집고 박힌다는 느낌을 종종 받는다. 꼭 머리에 남지 않더라도 가슴이 이해했다. 쓰면서 마음이 넓어지고 생각이 깊어진다. 마음에 쌓이는 내공은 외부의 자극에 쉽게 동요되지 않는다. 그럴 수도 있는 일이 되어 버린다. 여러 사례에서 보고 생각해왔던 하나의 예로 지나간다.

지지 않는 마음(멘탈), 평정심은 연습으로 길러진다. 쉽게 흥분하지 않고 평온한 마음으로 세상을 대하기 위해서는 나의 마음 그릇을 넓히면 된다. 그 방법이 나에게 있어서는 독서와 기록이 최선이다. 그래서 오늘도 읽고 기록한다.

비우기와 채우기

공자가 안회를 꾸짖으며. "그것은 너무 꾸밈이 많아 안 된다. 그것으로 어떻게 그 사람을 변화시킬 수 있겠느냐? 너는 아직 자기 생각에만 얽매여 있구나." 그러자 안회가 간청한다. "저로서는 이제 더이상 어떻게 해볼 도리가 없습니다. 부디 방법을 가르쳐 주십시오."

공자가 말하길 “재계(齋戒)해라. 그대에게 말해 주겠다만 작위적인 마음을 가지고 행동을 한다면 어찌 잘 되겠느냐? 잘된다고 생각하는 자가 있다면 하늘이 마땅치 않게 여기실 것이다.” 이어서 다시 마음의 재계, 즉 ‘심재’에 대해 말한다.

“그대는 잡념을 없애고 마음을 하나로 통일하라. 귀로 듣지 말고 마음으로 듣도록 하라. 다음에는 마음으로도 듣지 말고 기(氣)로 듣도록 하라. 귀는 고작 소리를 들을 뿐이고 마음은 고작 사물을 인식할 뿐이지만, 기는 텅 빈 채로 모든 사물을 응하는 것이다. 도(道)란 오로지 텅 빈 허(虛)에 모이는 법, 이렇게 텅 비게 하는 것이 곧 심재인 것이다.”

-장자 ‘공자와 안회의 대화 중, 심재는 '마음 굶기기‘이다. -

..<생략>... 나의 머릿속에는 여러 가지 생각이 서로 긴밀하게 맞물려 있다. 특히 문학에서 커다란 업적을 이룬 사람이 되기 위해 어떤 자질이 필요한가 하는 점을 문득 생각하게 된다. 셰익스피어는 그런 자질을 대단히 풍부하게 갖고 있었으며, 나는 그것을 ‘마음 비우기 능력'이라고 부른다. 그것은 사실과 이성을 추구하려고 안달하지 않고 불확실성과 풀리지 않는 신비와 의문 속에 머물 수 있는 능력이다.

- 존 키츠 -

하루동안 한꺼번에 나에게로 온 두 글귀이다. 하나는 동양의 고전, 그리고 다른 하나는 서양 시인 글.
두 글 모두 마음을 비워야 한다고 이야기하고 있다. 동양의 공자는 이것을 '마음 굶기기', 서양의 존 키츠는 '마음 비우기'라고 표현한다.

마음을 굶기고, 비운다는 것은 어떤 의미일까? 마음을 비운다는 것은 흔히 어떠한 기대감을 갖지 않고 편안한 마음가짐을 가진다는 뜻으로 사용한다. 시험결과를 기다리는 수험생들이나 합격 여부를 기다리는 취업생, 혹은 성과의 결과를 기다리는 모든 이들에게 우리는 이렇게 말한다.
"마음을 비워라"

아무 생각 없이 쓰던 이 말이 유난히도 마음에 걸리는 날이다. 공자와 존 키츠가 말하는 마음을 비운다는 것은 편안한 마음을 가져라는 것 이상의 더 많은 의미를 내포하고 있을 것 같아서이다.

공자와 안회의 대화에서 엿볼 수 있듯이 마음을 굶긴다는 것은 자기 생각을 비우라는 뜻이 아닐까 한다. 즉 우리가 살아오면서 쌓여온 선입견이며 세상을 바라보는 틀(프레임)을 깨라는 의미일 것이다. 경험과 공부해온 지식을 바탕으로 주관적으로 판단하는 우리에게 가끔은 현상 그대로를 바라볼 수 있는 눈을 가지라는 의미일 테다.

어린아이의 모습을 보면 자신의 틀이 형성되지 않은 시기이기에 모든 것을 받아들일 자세가 되어있다. 모든 것이 신기해하며 관심거리로 보고 재미난 놀잇감으로 본다. 어른이 된 우리에게서는 쉽게 찾기 힘든 모습이다. 이미 사회적으로나 환경적으로 만들어진 마음은 더는 받아들이기 힘들 정도로 가득 차 있다.

가끔은 마음을 비우는 시기를 가져야 한다. 의도적으로 말이다. 비워야 채울 수 있다. 그래야 받아들일 수 있다. 여유 공간이 있는 마음은 적극적이고 수용적인 태도를 보인다. 마음의 여유가 없을 때 느끼지 못한 여유로움이 있다.

새해 계획은 비우기와 채우기이다. 두 글귀를 만나기 전에 이미 새해계획으로 세워둔 것이다. 우연의 일치일까. 올해는 그동안 쌓아둔 틀을 깨고 새롭게 공부하라는 계시인지 마음 비우기라는 글귀가 새해를 맞은 1월, 내 눈앞에 나타난 것이다.

공간이 없을 정도로 채워진 마음은 더는 배울 것이 없다는 오만으로 보일 수 있다. 지극히 사적이고 협한 경험만을 했음을 눈치채지 못하고 모든 것을 다 아는 듯한 자만을 보인다. 지금의 나의 모습이다. 자만과 오만이라는 괴물은 마음속에 턱 하니 자리 잡고 비이성적인 모습으로 비대해지고 있다.

비움 없이 채움만으로 살아온 마음은 비뚤어진 눈으로 세상을 바라보게 한다. 가끔은 비워줘야 새로운 눈이 생긴다. 비워진 마음은 만물을 스승으로 여기게 해준다. 비뚤어져 있던 마음을 제자리로 돌아오게 해준다.

아무것도 없는 상태의 어린아이 같은 마음으로 세상을 바라보게 되는 눈을 갖게 된다면 22년의 한 해는 감사하고 기쁜 일로 충만하게 될 것이다.

당신의 주변에는 누가 있나요?
미래의 내 모습을 보는 법

근묵자흑[近墨者黑], 근주자적[近朱者赤]

맹모삼천지교

마중지봉(麻中之蓬)·봉생마중(蓬生麻中)

친구를 보면 그 사람을 안다.

이 외에도 주변 환경과 사람의 중요성에 관한 말은 더없이 많다.

좋은 친구들과 어울려라

어릴 때부터 엄마에게 자주 듣던 말이다. 나만 잘하면 되지? 주변 친구의 영향을 그렇게 받겠어? 엄마는 잘 알지도 못하면서 친한 친구와의 사이를 멀어지게 하려는 계략으로밖에 보이지 않았다. 하지만 결국은 주변 친구의 영향을 많이 받던 청소년기의 경험으로 어른들의 말이 틀리지 않았음을 알게 되었다. 착하기만 했던 친구가 한 친구의 꼬임에 넘어가 완전히 다른 방향의 삶을 살게 되는 경우도 보았다. 악의가 있었든 없었든 그건 중요하지 않다. 결국 닮아간다는 것이 중요하다. 청소년기에는 말투에서 행동까지 자신도 모르게 주변의 친근한 사람, 우상인 사람을 닮아가는 경향이 있다.

부부도 마찬가지입니다. 오랫동안 함께해온 부부는 어딘가 모르게 닮아있다. 종종 남매 같다는 말을 듣는 부부도 있다고 하는 걸 보면 가까이 있는 사람의 영향은 가벼이 넘길 정도는 아니다. 우리 부부는 아직 생김새까지는 아니지만 사소한 부분에 조금씩 물들어간 부분이 있다. 예를 들면 손톱을 바싹 깎지 않는 습관이다. 손톱 밑 살이 드러날 때까지 바싹 깎는 걸 좋아합니다. 가끔은 생살이 아려오기도 하지만 그래야만 깎았다는 느낌이 들어서다. 하지만 남편은 매우 섬세한 사람이기에 이런 부분도 그냥 넘어가지 않는다. 절대로 손톱 아래 살이 드러나도록 바싹 깎지 않는다. 손톱을 디자인하며 깎는 듯이 보이기도 한다. 하나의 손톱을 한번 두 번으로 뚝뚝 깎으면 끝나는 것을, 남편은 한번 두 번 세 번, 그리고 자잘하게 똑딱똑딱 깎아서 모양을 잡는다. 아이들 손톱을 정리해주는 날은 어김없이 잔소리가 들린다. 손톱은 그렇게 깎으면 안 된다고. 지금은 아이들마저도 손톱은 엄마한테 깎지 않겠다고 한다.

언젠가부터 조금 신경 쓰인다고 생각하던 행동을 같은 방식으로 하고 있는 자신에게 놀란다. 다행인 건 좋은 쪽으로 물들어간다는 거다. 아마 남편도 알게 모르게 나와 닮아간 습관들이 있을 것이다.

주변 사람과 환경의 중요성을 이야기하게 되면 사람을 가려 사귀라는 말처럼 들리게 된다. 물론 그런 의미도 내포되어있다. 아무리 자기 절제력이 뛰어난 사람이더라도 알게 모르게 미치는 영향에 미동이 없을 사람은 없다. 주변에 책을 좋아하는 사람과 운동을 좋아하는 사람, 혹은 술과 유흥을 좋아하는 사람들이 있는 경우 내 삶에 어떤 영향을 미치는지 한 번쯤은 경험해 보았을 것이다. 마찬가지인 나도 현재까지 그러한 경험을 하고 있다. 그렇다고 사람을 바꿀 수는 없다. 사회적 환경은 본인의 의지에 따라 충분히 변화시킬 수 있지만, 사람은 그러기 쉽지 않다. 가려 만나든지 아니면 내가 좋은 사람이 되는 것이다.

스스로가 좋은 환경, 사람이 되면 된다. 그러면 간단하다. 남을 변화시키기보다 훨씬 수월한 방법이다. 누군가의 멘토가 될 만큼 훌륭한 삶을 살라는 것이 아니다. 긍정의 기운과 열린 생각을 하는 사람이 된다면 주변에는 나와 비슷한 생각하는 사럼들이 모이게 되어 있다. 흔히들 끌어당김의 법칙이라고 말한다.

가끔 책장에 꽂힌 책들을 두루 살펴볼 때가 있다. 요즘 무슨 생각을 하며 관심사가 어디로 쏠렸는지 알기 위해서입니다. 관심사가 새로이 끌어당긴 인연들도 한번 되돌아본다. 관심사가 바뀔 때마다 인연을 맺는 사람들도 달라진다. 글쓰기에 관심이 많은 요즘에는 새롭게 알게 된 작가라는 직업을 가지신 분들이 많아졌다.

긍정적 기운이 넘치는 삶을 살고자 했더니 좋은 기운의 사람들이 다가온다. 스스로가 좋은 환경, 사람이 되어 긍정적인 영향에 서서히 물들어가는 사람들이 늘어갔으면 한다.
지금 당신의 주변에는 누가 있는가? 한 번쯤 돌아봐야 시기다. 지금 당신의 생각과 가치가 어디로 흘러가는지 미래의 내 모습을 보여주는 것이기 때문이다.

롱런하고 싶다면
롱런(long-learn)하는 태도갖기

최근에 가장 많이 들은 질문이 ,
"어떻게 그렇게 책을 빨리 읽으세요?"
하루에 한 권을 읽고 인스타에 인증을 하게 되면서부터 자주 듣는 질문이다. 책을 읽으면서 늘어나는 것은 지식보다 책 읽는 방법이라고 농담처럼 이야기했지만 틀린 말은 아니다. 그래서 한번은 정리를 해봐야겠다는 생각이 들었다.

책은 어릴 때부터 자연스럽게 접하기 시작해서 즐겨 읽는 단계가 되는 것이 가장 이상적이라고 생각한다. 단계별 독서, 학년별 필독서 순으로 짜인 읽기가 아닌, 호기심과 관심 위주로 탐독할 수 있는 책 읽기가 되어야 한다. 독서가 학업성취와 자기계발의 수단이 되어간다는 게 안타까울 뿐입니다. 삼시 세끼를 꼬박꼬박 챙겨 먹듯이 독서도 생활 습관의 하나가 되었으면 하는 바람이다. 책을 통해 얻은 것이 많은 사람은 모두 같은 생각을 하고 있을 것이다. 책 속에 길이 있고, 이로움이 있다. 독서의 부정적 견해를 들어본 적이 없다.

가장 저렴한 비용으로 스승을 만날 기회다. 무해백익(백해무익을 응용)이라고 표현하고 싶을 정도다. 무해하고 백 가지 이득을 가져다주는 독서의 가치를 모두가 알았으면 한다. 나아가 지금 나의 글이 독서를 숙제처럼 생각하고 계시는 분들에게 다른 관점이 되길 바래본다.

- 우선, 독서에 할애할 시간에 관해 이야기해 보면 좋겠다.

독서를 하기 위해서는 시간을 잘 활용해야 한다. 바쁘게 돌아가는 스케줄 속에 책 읽기 시간은 사치스럽게 느껴진다. 하지만 그 사치가 삶을 풍요롭게 해줄 수도 있다는 점을 알게 된다면 어떻게든 시간을 할애한다. 돈을 쓰는 사치는 사(買)는 즐거움을 주지만, 책을 통한 즐거움은 사(活)는 즐거움을 준다.

시간 활용을 잘하기 위해서는 틈새 시간, 자투리 시간을 허투루 써서는 안 된다. 하루 이틀 정도 시간을 내, 의식적으로 시간 활용을 점검해보면 흘려보내는 시간이 많다는 것에 놀라게 된다. SNS나 TV를 보는 시간만 줄여도 적어도 1시간은 확보할 수 있다. 그 이상이 되는 사람들도 분명 있다. 짜투리 시간마저 활용하기 힘든 분들은 아침 시간 30분, 잠들기 전 30분만 독서시간으로 계획해보길 추천한다.

나의 경우는 우선 거실에서 TV를 치웠다. TV에 빠지는 시간을 줄이다 보니 독서시간이 확보되었다. 그리고 누구에게도 방해받지 않는 새벽 시간대를 나만의 시간으로 쓴다. 적게는 2시간 많게는 3시간까지도 오롯이 나만을 위해 사용할 수 있는 시간이다. 아이 셋을 키우며, 일까지 병행하며 독서를 할 수 있는 별거 아닌 노하우다. 아이들 잠든 시간 일찍 일어나기.

시간 확보가 되었다면 이제는 책 읽는 방법에 대한 노하우를 이야기해 보면 좋겠다.

다독을 즐긴다. 어떻게 보면 가볍고 얕게 읽는다고 할 수도 있겠다. 하지만 책의 장르에 따라 철저하게 읽는 방법을 달리한다. 사유가 필요한 철학, 시, 에세이는 정독으로, 가볍게 읽을 수 있는 소설은 통독, 그리고 자기계발서와 정보성 도서는 속독한다.

정독과 통독에 관해서는 익히 아시는 이야기라 다루지 않겠습니다. 여기서는 제가 하는 속독, 다독에 관한 이야기를 해보겠다. 속독과 다독이 가능한 데는 배경 지식의 여부에 있다. 관련 주제에 대한 어휘와 배경 지식이 바탕이 된 상태에서의 독서는 당연히 읽는 속도가 빨리질 수밖에 없다.

속독은 안구훈련과 집중력을 통해 기관에서의 특화된 교육을 통해 훈련하는 경우와 자연 속독 두 가지가 있다. 나의 경우는 자연 속독에 가깝다. 다독하면서 자연스럽게 속도가 높아졌다.

낯선 주제에 대해 읽게 될 때는 속도가 나지 않는다. 생소한 단어는 한 글자씩 정독할 수밖에 없다. 그런데 그 주제에 관련된 도서를 3권 정도 읽고 나면 그다음엔 높은 속도로 읽어낼 수 있다.

한 주제를 공부할 때 그 분야의 도서 10권 이상을 읽는 것이 빠르게 읽을 수 있는 노하우가 되었다. 시간과 노력이 필요한 방법이지만 깊이 있는 공부가 필요하다 싶을 때는 주제별로 10~20권 정도를 읽어보는 것을 추천한다. 그러면 그 분야의 독서 속도도 빨라지고 주제에 관한 지식도 깊어진다.

이와 관련해서 최근에 생긴 습관을 적어보면, 예를 들면 요즘 핫이슈키워드인 NFT에 관해 독서를 시작한다고 해보겠다. NFT와 관련된 도서 1, 2권을 정독한다. 어느 정도 용어에 익숙해지고 조금 더 깊이 있는 공부의 필요성이 느껴진다면 관련 도서를 추가로 적게는 5권 많게는 20권 정도를 구매해서 본다. 도서를 한 번에

깔아놓고 목차를 비교해가며 파악한다. 저자들이 공통으로 말하는 것이 무엇인지, 도서별로 차이점은 무엇인지를 말이다. 이때는 정독이 아닌 목차에서 필요한 부분만 골라서 먼저 읽습니다. 그리고 반드시 읽을 필요가 있겠다 싶은 도서를 골라내 처음부터 읽어나간다.

또 한 가지 독특한 버릇은 일명 '풍차 읽기'라고 이름 지어놓은 읽기 법이다. 여러 장르의 책을 한 번에 읽고 싶을 때, 한 가지 주제가 아닌 여러 주제를 한 번에 읽고 싶을 때 이 방법을 쓴다. 5권 정도 되는 도서를 한 장(챕터)씩 돌아가면 읽습니다. 무슨 이야기냐면 어느 소설의 1장을 읽었다면 다른 도서의 1장, 또 다른 도서의 1장을 읽고, 그다음 처음 읽었던 소설의 2장, 그다음 도서의 2장, 이런 식으로 돌려 읽는다. 드라마에도 월화, 수목, 금, 주말 드라마로 나뉘어 있는 것을 주 단위로 1회씩 보는데도 스토리가 섞이지 않는 효과라고 말할 수 있겠다. 주변에서는 그런 모습을 보고 저렇게 읽으면 과연 기억남는 게 있을까 궁금증이 든다고 한다. 여러분들은 어떤가? 월화드라마와 수목드라마의 스토리가 뒤죽박죽 가물가물할 정도로 기억에 남지 않는가? 당연히 나는 아닙니다. 이 방법을 20대 때 쓴 이후로 지금도 하고 있다는 것은 잘 맞는 방식이었기 때문이다. 호기심 강한 성격과 다독의 욕심이 많은 나에게는 이 방법은 딱이었다.

마지막으로 말하고 싶은 것은 읽다가 흥미가 떨어지거나 내용이

기대에 못 미치다 싶음 과감하게 덮는다. 끝까지 붙들고 있다가 독서를 향한 애정마저 사라진다. 완독에 대한 욕심을 내려놓는다.

독서의 방법에는 여러 가지가 있을 것이다. 비슷한 방법으로 읽는 사람도 있을 테고 문장 하나하나 사유를 하며 깊이 읽기를 좋아하는 사람도 있을 것이다. 어떤 방법이 좋고 나쁘다고 단정할 수 없다. 독서는 자기만족이다. 본인에게 맞는 독서법이 최고의 독서법이다. 독서 초보자라면 자신에게 맞는 방법을 하나씩 찾아보길 권한다. 독서는 평생의 친구이다. 천천히 자신에게 맞는 편안한 방법을 찾길 바란다.

운이라고 쓰고 태도라고 읽는다.

주변에 성공한 사람들은 그곳을 '운'이라고 한다.

"부족하지만 운이 좋았어요."

"이번에는 정말 운이었어요."

나에게도 가끔은 행운과 같은 일이 생기기도 한다. 여기서 행운은 길에서 우연히 돈을 줍거나 하는 것이 아닌, 꿈을 이뤄나가는 과정에서 만나게 되는 우.연. 같은 것을 말한다.

풍문으로 들리는 일화나 동화 속에서 뜻밖의 장소에서 행운의 여신을 만나거나 기회를 잡거나 하는 사람들을 자주 보았다. 예를 들어 길을 지나가다가 우연히 불쌍한 노인을 돕게 되었는데 알고 보니 어느 회사의 회장님이었다든지. 곤경에 빠진 친구를 구해줬는데 친구의 아버지는 평소 내가 존경하던 분이었다든지 하는 그런 이야기들 말이다.

실제 지인분 중에도 그런 분이 있다. 동화 속에서나 봤을 것 같은 마법 같은 이야기다. 엄마의 지인분이신 이분은 어린 나이에 일본으로 건너가게 된다. 갖은 고생을 하다가 우연히 일본인 할머니 댁의 양손녀처럼 살게 된다. 할머니에게는 자식이 없었고 친구이자 살가운 손녀 같은 이분에게 의지를 많이 하셨다고 한다. 할머니의 마지막 순간까지 돌봐드렸다. 임종이 다가올 때쯤 집을 물려줄 자손이 없었던 할머니께서는 엄마의 지인분께 집의 명의를 주셨다. 돌아가신 후에 유품 정리를 하던 어느 날, 한 번도 올라가 보지 않았던 다락에 올라가게 된다. 그곳에 엄청난 액수의 현금과 할머님의 편지가 있었다. 정확한 액수는 말씀해 주시지 않으셨지만, 여전히 자산으로 보유하고 계실 정도라 한다. 이 동화 같은 이야기가 믿겨 지나요. 처음에는 믿어지지 않았다. 그런데 그분의 이야기를 수년간 들어오면서 이런 생각이 들었다. 그리고 믿게 되었다.

'저런 태도였기에 할머니가 물려주신 거구나.'

운이 좋았구나, 행운의 여신이다는 생각보다는 그 이면의 태도가 보였다. 어른을 공경할 줄 알고, 어려운 이웃을 도울 줄 알고, 항상 성실한 하루하루를 보내시고 있는 모습 말이다. 그 모습을 알아본 것이다. 적지 않은 나이에도 끊임없이 배우고 일하고 있다. 그 돈에 의지하지 않고 끊임없이 일한다. 40대인 나보다도 더 열정적이고 열심이다.

"운이 좋았어요."

정말 운이었겠느냐는 의문이 든다. 노력 여부와 관계없이 순전히 운에 의해 커다란 기회를 잡았을까. 그렇지 않다는 생각이다. 운은 준비된 사람에게 눈에 띈다. 그것이 운인지 매번 보아오던 일상의 한 조각인지를 구분할 수 있는 눈은 준비된 사람에게는 있다. 기회라고 알아차렸을 때 '덥석' 잡을 수 있는 용기도 함께 말이다. 경험에서 오는 두려움을 즐기는 태도를 가지고 있다. 그리고 그들은 행동한다. 가만히 누워서 사과가 입안으로 떨어지기를 기다리기보다는 나무를 흔들어 보기도 하고, 돌멩이를 집어 던져 보기도 한다.

특별히 노력하지 않아도 운이 좋은 사람은 과연 몇 명이나 있을까? 없다고 장담한다. 운이라고 말하는 성공한 사람은 여러 기회 중의 하나를 잡은 것이 '행운'이라고 하는 것이다. 도전과 노력에서 찾아오는 기회 중 하나를 잘 잡은 것뿐이다. 지금도 우리들 앞에서 여러 개의 기회가 놓여 있다. 그것 못 알아볼 뿐입니다. 알아볼 눈이 준비가 안 되어있다.

작게나마 시작해 볼 수 있는 노력이 있다. 이것은 돈이 필요한 것도 아니다. 지금 당장도 시작할 기회를 알아볼 수 있는 눈을 갖게 해주는 것이다. 바로 마음가짐이다. 긍정적 마음을 가지자는 이야기는 워낙 많이 들어서 물릴 정도일 것이다. 그런데도 불구하고 또다시 이야기를 하는 것은 모든 것은 마음먹기에 달렸다는 것을 강조하고 싶어서다. 할 수 없다를 할 수 있다. 힘들다를 성장하는 과정, 불평, 불만을 미소로 바꾸게 되면 삶을 대하는 태도가 조금씩 변한다. 태도가 변하면 인생이 바뀝니다. 인생을 바뀔 수 있는 계기가 '기회'이며 그것이 '운'으로 다가온다.

'운이라고는 하지만 그것은 운을 받아들일 태도가 준비된 것이다.'

여러분은 무엇을 좋아하십니까?
어릴 적 나의 꿈, 그리고 지금

p257 여러분은 무엇을 좋아하십니까? 어릴 적 좋아했던 것이 있는데 그걸 잊고 어느 순간엔가 사회적 압력과 남들의 기대에 치여 사는 것 같습니다. 그러니 내가 정말 좋아하는 게 무엇인지 기억해 내는 것만으로도 내 꿈을 찾은 것이 아닐까 생각합니다.

송길영, 《그냥 하지 말라》中

2년 전 읽은 인상 깊은 책이다. 여기에서는 이렇게 말한다. 당신의 꿈을 찾고 싶은가. 그렇다면 어릴 적 기억을 떠올려라. 순수하게 무언가를 좋아할 수 있었던 그 시절을.

곰곰이 생각에 잠겨보았다. 10년, 20년, 30년도 더 전으로 거슬로 올라가 보았다. 마당에서 남자, 여자아이 할 것 없이 4~5명이 뛰어노는 모습이 보인다. 손에는 장난감 총을 들고 있다. 유난히도 씩씩했던 성격의 나는 남자아이들의 놀잇감에 관심이 많았다. 특히, 비비총이나. F16, M16같은 소총. 공기놀이나 고무줄놀이보다 총싸움이 더 흥미로웠다. 군대를 갔어야 했는가는 쓸모없는 생각도 해본다.

조금 더 그때의 기억을 떠올려보자. 자주 하던 놀이가 있었구나.

기억은 마당 한 편에 돗자리를 깔고 옆집 친구의 머리를 만져주며 미용실 놀이를 하는 장면으로 옮겨간다. 지나가던 엄마가 한 말씀 하신다.

"머리 만지고 그런 놀이 하지마, 미용사 되는 건 안 돼." 시누이 중에, 그것도 엄마의 눈에 가장 밉상인 막내 시누이가 미용사다. 그 시누이와 같은 길을 걷게 하고 싶지 않다. 더군다나 외모까지 고모를 닮은 딸이 놀이마저도 미용사 놀이를 하고 있으니 더욱 꼴 보기 싫으셨을 것이다.

엄마가 말릴 때 그만할 걸. 옆집 동생 머리에 헤어롤을 돌돌 말았다가 풀리지 않아 가위로 싹둑 잘라버렸다. 그날 저녁 한바탕 난리가 났다. 그 집 할머니부터 오빠까지 온 가족이 쫓아와서 자식 교육을 똑바로 하라는 말을 한다. 그때의 일은 충격으로 남고 이후로 미용실 놀이는 하지 않았다.

그러면 나는 어릴 적 무엇을 좋아했던가? 머릿속을 스치는 장면이 또 하나 있다. 아이들을 앉혀놓고 선생님 놀이를 한다. 하얀 도화지에 피아노 건반을 그려놓고는 피아노 선생님 역할을 하고 있다. 아마도 피아노를 막 배우기 시작했었던 때 같다. 집에 피아노처럼 생긴 것은 입으로 부는 멜로디언뿐이었다. 입으로 불면서 가르치고 설명하는 건 불가능하다. 그래서였는지 도화지에 건반을 그렸다. 소리는 나지 않는다. 모든 소리가 내 입에서 딩동댕하고 날 뿐이다. 그러니 모든 학생은 선생님이 시키는 대로 하지 않으면 제대로 된 소리가 나오지 않는다. 소리도 나지 않는 건반을 똑바로 치지 않았다고 훈계도 한다.

동네 아이들 앉혀놓고 많은 것을 가르쳤다. 한글, 숫자, 그때 당시 알고 있는 지식은 모두 동네 친구, 동생들에게 나눠주었다. 그때나 지금이나 누군가를 가르친다는 일에 재미를 느낀다는 걸 글을 써 내려가면서 새삼 깨달았다. 결국에는 나는 좋아하는 일을 하는 셈이다. 이미 찾은 거다. 내가 잘하고 좋아하는 일을.

그렇다면….

앞으로 하고 싶은 일, 꿈도 내가 좋아하던 일과 관련이 있는가를 고민할 시간이 되었다.

5년 뒤, 10년 뒤 나의 꿈은?

꿈, 어릴 적.
기억을 더듬어 나를 찾아보는 시간

이번에는 어릴 적 꿈을 돌이켜 보다. 실마리를 찾기 위해서이다. 지금까지 해왔던 일들과 어릴 적 꿈의 상관관계, 정말 원하는 삶을 살고 있는 것일까에 대한 의문에의 답을 찾기 위해서다.

나는 어떤 사람인가? 무엇을 좋아하고 어떤 꿈을 꿨는지 기억해내는 이 시간을 갖기까지 왜 이렇게 오래 걸렸을까? 한 번쯤은 나 자신과 마주 보고 나누었어야 할 대화이다.
사는 대로 사는 것이 아닌 목표가 있는 삶을 살아가기 위한 작업이다. 100세 시대에 인생의 반도 살지 않은 지금도 늦지 않았다.

도대체 어떤 꿈들을 이야기하며 살아왔을까? 기억을 더듬는 일은 나부터가 흥미롭다.

초등학교 4학년 교실 안이다. 그날의 자신의 꿈을 이야기하는 날이었다. 각자 노트에 자신의 꿈을 적기 시작한다. 그리고 발표시간, 가장 먼저 손을 든 친구는 꿈이 선생님이다. 그리고 이어서 과학자, 그리고 선생님, 그리고 선생님……. 왜 다 비슷하지? 그때 당시는 지금처럼 의사나 변호사를 꿈꾸던 친구는 많지 않았던 것 같다. 연예인은 더더욱 없던 시절이다. 바닷가 작은 마을의 환경

탓도 있었으리라. 특별히 어디를 가지 않고 주변에 보이는 어른들이 어부이거나 선장, 혹은 잡아 온 생선을 파시는 분들이었다. 그 동네에선 선장 집 아이가 최고였다. 그리고 우리 눈앞에 보이는 최고의 직업은 선생님이다.

대부분 아이가 말하는 선생님은 하기 싫고, 그렇다고 내가 과학자? 그건 아닌 것 같고, 한참을 고민하다가 내려쓴 세 음절로 된 단어가 있다.

발표하자마자 비웃음을 샀던 그 직업. 당시의 분위기와 아이들의 모습이 어렴풋이 기억에 남아있다. 뚜렷하지는 않았지만 웃던 아이들의 얼굴은 떠오른다.
"제 꿈은 대통령입니다."

그때 이후로 실제로 대통령을 꿈꿔본 적은 없다. 어른이 되어간다는 것은 선택의 꿈의 크기가 작아진다고도 할 수 있겠다. 꿈을 제대로 꿔 본 적이 없는 어린아이의 즉흥 답변이다.

황당한 꿈을 꾼 건 그때가 마지막이 아니었다. 어쩌면 초등학교 교실 안에서 말한 "대통령입니다"가 시발점이 된 것 같다. 중학교 2학년 때였다. 교실 한 가운데 나와 두 친구가 보인다. 스케치북을 꺼내 들고 무언가 열심히 그리고 있다. 5층 건물이다.
"여기 봐봐, 은미야. 그러니깐 여기 1층이 미용실이야, 그리고 2층부터 5층까지는 신발, 옷, 액세서리 같은 것을 파는 곳이야. 이 건

물에 들어오면 머리부터 발끝까지 해결돼. 우리 할머니가 돈이 좀 많으시거든. 내가 고등학교 졸업하면 분명 그 돈 나한테 줄 거니깐, 내가 이런 건물 지어둘 테니 너는 1층에 와서 미용 실해, 미용 자격증 꼭 따 둬."

중학교 시절, 교실에서 1~2등을 할 정도로 공부를 잘했다. 기억이 그렇다. 담임선생님의 귀염을 받으며 교무실 한쪽에서 예뻐하는 수학 선생님의 특별 과외를 받을 정도였다. 그런데 왜 저런 허황한 이야기를 하고 있던 것일까.

특유의 오지랖을 피우는 성격은 이때도 있었던 듯하다. 우리 반에는 공부에 손을 놓았던 두 친구가 있었다. 1교실부터 마치는 시간까지 미동 없이 엎드려 자느라 바쁘다. 한두 번은 선생님들도 꾸지람도 하시고 깨어보기도 하셨지만, 결국엔 포기하신다.

보다 못한 내가 나선다.
"너희들 나중에 뭐할 거야?"
이런 오지라퍼! 자기 앞가림도 못 하면서 이건 무슨 교장 선생님 같은 질문인지.
"우리, 미용학원 다닐 거야."
"대학 안 갈 거야??"
"대학 안 가. 미용실 다닐 거야."
이 대화가 있고 난 이후부터 저 친구들을 내가 도와야겠다는 생각을 한 것 같다. 꼭 자격증을 따게 해서 미용사로 당당히 일하는 모습을 보고 싶었다. 절친이라고 할 수는 없었지만 챙겨주고 싶었던 친구들이다.

"우리 할머니가 땅이 좀 있거든. 그게 좀 많아. 부자야."

그렇게 믿고 싶었나 보다. 부모님께서 가끔 할머니 땅 이야기를 하시는 걸 엿듣고 나름대로 상상의 나래를 펼친 것 같다. 그리고 맏손녀인 나에게 모두 줄 것이라고까지. 꿈은 꿈이다.

지금 생각해보면 그때 당시 그림을 그리고 이야기 나눈 사업형태가 동대문의 두타나 밀레오레(중학교 시절에는 없었다) 정도 된다. 대학 시절 서울로 올라와 동대문에 처음 간 날, 그 건물들을 보니 심장이 마구마구 날뛰었다. 내가 저곳의 주인이 되었어야 하는데 꿈을 도용당한 사람처럼 흥분되었다.

지금까지 머릿속을 스쳐 지나간 구상들이 꽤 많다. 그중에는 실제로 다른 사람들이 시작한 것도 몇 건 되고, 비웃음을 산 계획들도 많다. 오늘도 가상세계에서 수업하는 모습을 꿈꾸고 이야기 나누느라 오전 시간을 어떻게 보냈는지 모르겠다. 가르치는 일과 브랜드를 만들어가는 일을 접목하는 사업을 하면 잘할 수 있을 것 같은 생각이 든다. 결국에는 내 안에 모든 것이 있다. 기억을 더듬는 시간이 소중하다는 걸 새삼 깨달았다

요즘 평소 하지 않던 짓을 자주 한다. 낮잠을 잔다든지 틈만 나면 누우려 한다든지….

피로가 겹친 것이겠지 쉴 땐 쉬어가자는 생각을 하던 찰나,

'사실은 그게 아니잖아'라며 내면의 소리가 말을 한다.

"그게 아니잖아. 마주하기 힘든 거잖아. 요즘 계속되는 현실 마주보기가 거북한 거잖아. 생각했던 것보다 실망스러운 현실이 보기 힘든 거잖아." 사람처럼 말한다.

그래, 맞다. 사실은 힘들다. 그래도 이 나이쯤 되면 무언가 이러이러한 사람이라고 설명할 수 있어야 하는데, 이뤄둔 거 하나 없이 다른 사람들과 비교되는 삶을 살고 있을 뿐이다. 열심히만 살았던 결과이다. 목표가 빠진 근면은 말 그대로 '삽질'이다.

그 '삽질'을 그만두기 위해 마주 보는 연습을 하려 애쓴다. 애쓴다는 표현이 맞다. 거북하기에 애쓰며 바라보고 있다. 그럼에도 불구하고.... 애쓰며 힘들지만 찾아야 한다. 엉뚱한 곳을 파고 있는 나를, 그리고 목표를 말이다.

인생은 혼자 가는 것이 아니다.

모처럼 좋은 강의를 들었다.
그분의 말씀이 깊이깊이 남았다.
한 마디 한 마디가 왜 그토록 아리게 다가왔는지 모르겠다.

호리호리한 외모에 강단 있는 언변에 반한 것일까? 얼굴을 대면하지 않고 줌(ZOOM)으로 강의를 들었는데도 한마디도 놓치는 게 아까워 귀담아들었다.

성공을 위한 조건

'꾸준한 피드백, 가벼운 실험, 믿고 기다려주는 사람'
세 가지 중 절반 이상인 두 가지가 사람에 의한, 사람과 하는 일.

'뭐든 열심히 하며 다 돼. 혼자서도 충분히 가능해'라고 생각했던 믿음들이 조금씩 흩어지기 시작했다.

마흔이 넘도록 제 잘난 맛에 외길을 걷던 내가 뒤늦게 나마 혼자가는 것보다 함께 가는 것이 이롭다는 것을 알게 되어 다행이다.

대학 때의 기억이다. 제2외국어로 일본어를 선택하고는 죽어라

독학으로 1년 이상을 붙들고 있었다. 하루에 8시간 가까이를 공부하며 제자리 걸음에 진척이 보이지 않던 찰나에 가르칠 수 있는 기회를 얻게 되어 단시간에 실력이 점프했던 경험이 있다. 가까운 친구는 나와는 완전히 다른 방향으로 처음부터 학원강의와 스터디로 시작했다. 내가 1년 동안 고생한 걸 6개월 만에 이루는 걸 보고는 큰 충격을 받았다. 그때 눈치챘어야 한다.

'혼자보다 함께 하는 것이 낫다'는 것을.

오랜 시간 1인으로 일을 하다 보면 본인은 많이 깨어있다고 생각하지만 실은 자기 안에 갇혀 있는 사람들이 많다. 자신도 물론 그러한 사람 중 한 명이다.

혼자서도 충분히 갈 수 있는 길을 검증되지 않은 사람의 피드백을 받으면서 시간을 지체하고 싶지 않았다. 오히려 시간낭비라는 생각도 들었다. 그런데 이제는 생각이 많이 달라졌다. 결국 사람이다. 함께 하면 할 수 있는 일이 더 다양해진다. 사람으로부터 오는 기회를 잡는 게 가장 빠르다.
생각을 조금 틀었을 뿐인데 더 많이 받아들일 수 있는 여유공간이 생겼다. 마음도 머리도.

에너지를 한 곳에 집중시켰다면....

어릴 때부터 호기심이 많았다. 지금 생각해보면 아름다운 표현이 호기심이지 어떻게 보면 욕심과 질투였지 싶다. 남들이 하는 건 다 해봐야 하고, 안 해본 건 먼저 해봐야 하고 말이다.

중학교 다니면서 얌전히 공부만 하다가 고등학교 진학하면서 진로를 갑자기 바꿨다. 체대 진학, 한국체육대학 진학을 목표로 운동에 매진했다. 초등 때부터 운동신경이 남달랐던 것도 있었는데, 지금 생각해보면 그 선택은 순전히 단지 멋있어 보여서 그런 것 같다. 당시만 해도 바닷가 시골에서 검도로 대학가는 친구들이 드물었다. 장비도 멋졌고 움직임도 멋진 운동이었다. 그런데 몇 년을 해도 나비처럼 날아올라 벌처럼 쏘아야 하는 순발력이 길러지지 않았다. 공부에 집중할 시기에 주말시간에도 도장에 나와 운동을 했는데도 한계가 있었다. 유연성과 근력은 자신 있었는데, 순발력이 떨어졌다. 그동안의 노력이 아깝긴 했지만 이대로 대학을 진학한다면 빛도 보지 못한 채 겨우 졸업이나 하지 싶었다. 빠르게 판단해서 진로를 바꿔야하는 순간이다.

다행이도 꾸준히 관심을 두고 있었던 과목이 있었다.

'역사학.'

지금 생각해도 진로를 너무 쉽게 변경한 건 아닌지 아쉬움이 남는다. 체대 진학으로 새벽이든 주말이든 나가서 연습만 하던 아이가 갑자기 공부하겠다고 책상에 앉았으니 부모님도 많이 당황하셨다.

어려운 살림에도 아끼지 않으시고 지원해주셨는데, 갑작스럽게 인문대를 가겠다고 하니, 기가 막혔을 테다.

실망시켜 드리면 안 되겠다 싶어서 더 열심히 공부했다. 다행히 역사학과로 진학은 했는데 운동한답시고 잠시 놓친 몇 년간의 공부가 목표 대학을 낮춰줬다.

누구나 즐기는 대학 1학년 때, 기를 쓰고 공부를 한 이유는 바로 이런 이유에서다. 입학식 다음 날부터 도서관에 가서 공부를 시작했다. 누가 시키지도 않는 공부를 스스로 찾아서 해나갔다. 공부만이 더 나은 환경을 가져다줄 것이라는 믿음이 있었다. 잘 살고 싶었다.

대학에 와 보니 공부가 더 재밌어졌다. 억지로 해야하는 게 아닌 자발적인 공부를 할 수 있다는 게 흥미로웠다. 시간 가는 줄 모르고 했다. 하루에 10시간 이상은 했던 기억이 난다. 전공공부에 외국어며 독서, 자격증, 어느 것 하나 소홀할 수 없어 시간을 쪼개가며 공부하고 공부했다. 남편하고도 이런 이야기 가끔 하는데 스스로 하는 공부의 재미를 초등 때 알았다면 어떻게 됐을지 상상하는 것만으로도 즐겁다.

대학 때부터 그렇게 열심히 공부했던 내가 왜 큰 인물이 못되었냐는 것이 이 글의 핵심이 되겠다. 단적으로 말하면 에너지를 한곳에 집중하지 못해서다. 좋게 이야기하면 호기심, 달리 보면 욕심과 질투. 그 욕심이 결국엔 집중력을 분산시켰던 것이다. 발화가 될 때까지 돋보기의 햇빛을 한 곳에 집중시켰어야 하는데, 여기저기 자꾸 비춘 거다. 발화가 되기는 커녕 까맣게 그을린 자국만 여러 남았다.

아래로 두 명의 여동생이 있다. 동생들은 20대 초반부터 한결같이 하나의 직업으로 둘째는 20년 막내는 17년째. 한 분야에만 에너지를 쏟고 있다. 그에 반해, 나는 직업인으로 살던 19년 간 하나의 직업을 오래 해본 기억이 없다. 학업 기간이 길어 직장생활은 딸 셋 중 가장 짧은데 경험치는 비교할 수 없을 정도로 다양하다.

마흔이 되기 전까지는 만능인으로 사는 것도 나쁘지 않았다. 그런데 지금은 왜 이렇게 후회가 되는 걸까. 제대로 하는 게 하나도 없다는 생각마저 든다. 이것도 하고 저것도 할 수 있다는 게 누군가의 눈에는 한 가지도 제대로 하지 못하는 사람이라고 비춰질 수 있을 것이다.

"저는 이러한 사람입니다."

한마디로 정의하기 힘들다. 스스로를 잘 모르는 상태에서 이것저것들을 채우며 공부해온 세월을 후회하고 있다. 조금 더 일찍 깨달음이 찾아와 에너지를 한 곳에 집중시켰다면 나는 지금 무엇이라 한마디로 설명할 수 있는 사람이 되어 있었을 테다.

무엇이든 원하는 목표와 꿈이 있다면 에너지를 잘 모아, 발화가 될 때까지 꾸준히 오래 해야 한다.

조언들,
나를 성장시키는 말들

누군가는 나에게 자기주장이 강하고 고집이 상당히 세다고 한다. 또 누군가는 줏대 없는 '팔랑팔랑' 팔랑귀여서 금세 사기를 당할 것 같은 사람이라고 한다. 나를 누구보다도 더 잘 아는 나 자신은 두 가지 평가 모두 제대로 본 것이라고 말하고 싶다. 하고 싶고 밀어붙이고 싶은 일이 있으면 주변 조언들은 귀담아듣지 않는다. 일단 부딪혀보고 스스로 판단한다. 그런데, 정보가 부족하거나 자신이 없는 일들 앞에서는 한 사람, 한 사람의 말에 흔들린다. 고집이 있는 팔랑귀여서 누구보다도 조언이 많이 필요한 사람이다.

중년에도 조언은 필요하다.

주변 사람들의 조언은 많은 영향을 미친다. 그런데 가만히 들어보니 조언이라고 다 같은 조언이 아니란 걸 알았다. 들어도 도움이 되지 않는 시간 낭비의 말, 터무니없는 긍정확신만 주는 말, 그리고 뼈가 되고 살이 되는 멘토같은 조언들 이렇게 세 가지로 나뉘다는 사실을 알게 되었다.

어떤 이는 나에게 아직 부족한 면만을 꼬집어 말한다. 이 정도면 되지 않을까하는 자신감을 갖고 조언을 구하러 상담했다가 자존감이 바닥을 치게 만들어 버린다. 그 사람에게 잘하고 있는 면보다 아직 부족한 점이 크게 보이는 듯 아직 멀었으니 더 준비하라고 한다. 처음에는 뼈있는 조언인 듯해서 귀담아 듣다가 그 사람의 이야기를 듣고 나면 한없이 에너지가 가라앉는다는 사실을 알게 되었다. 조금 거리를 두었다.

제대로 보지도 않고 긍정적인 말만 쏟아내는 사람도 있다.
그저 "잘 될 거야. 너니깐 무조건 될 거야."
듣기 좋은 말이다. 물론 이 말 한마디 덕에 없던 에너지도 생긴다. 그런데 잘 들어보면 남는 게 크게 없다. 어쩌면 내일에 크게 관심이 없는 부류다. 조금만 더 자세히 봐주고서 내 상황을 이해해 줬으면 하지만 그 사람에게 나란 존재는 처음부터 관심 밖이란 걸 뒤늦게 알게 된다.
"다 잘 될 거야."

뼈가 되고 살이 되는 멘토와 같은 조언들.
가만히 지켜만 본다. 적당히 지켜보다 어설픈 조언 따윈 하지 않는다. 그냥 조용히 지켜본다. 지금쯤 이렇게 했으면 좋겠다는 생각이 들면 넌지시 한마디 해준다. 그런데, 그 말이 진짜 나를 생각한 말이라는 것이 단번에 느껴진다. 현재 나의 고민을 정확히 꼬집어 도움 되는 말, 혹은 사람, 책, 강의를 추천해준다. 기가 막힌 타이밍에. 그만큼 관심 있게 지켜보고 있었다는 증거다.
감사한 한마디.

그동안 주변의 모든 사람들의 말이 모두 말 같은 말이라고 생각했다. 그런데 그 말들이 모두 같은 '말'이 아니라는 걸 알았다. 진짜 나를 생각해주는 사람은 누구인가. 그 한마디가 진정 나를 위한 말인지 잘 보아야 한다.

제2화 풍파 속에서도 변치 않는 마음

제2화
풍파 속에서도 변치 않는 마음

산다는 것, 살아간다는 것.

흔적을 남기고 갈 수 있는 삶을 위해 끊임없이 고민하다.

눈감는 그 순간,

참 잘 살았구나.

원 없이.

후회 없이.

맘 편히 갈 수 있기 위해서는.
나는 어떻게 살아가야 하는 것일까.
끊임없이 묻고 물어,
흘러가는 대로 살지 않아야 할 것이다.

40중반이 된 지금, 그동안의 삶, 그리고 앞으로의 삶에 진지한 고민을 하기에 적당한 시기다.
'어떻게 살 것인가?'
나를 향한 질문이 이어지는 날에는 풀기 힘든 실타래가 잔뜩 얽힌 느낌이다.

가장 눈부셨던 순간을 기억해보았다.
10대, 20대, 30대를 찬찬히 영화필름 돌리듯 남아있는 기억들을 회상해 보았다.
찬란했던 그 순간.
누구나 말하던 20대였으리라.
슬픈 기억도 아픈 기억도 힘들었던 기억들도 모두 젊음이라는 파스텔색으로 입혀진 채 기억에 남았으리.
죽을 만큼 힘들었고, 다시 일어설 수 없을 것처럼 절망스러웠던 기억들도 시간 앞에서 모두 그저 추억이 되었다.

흘러가는 대로 살지 않기 위해서는 내가 사공이 되어야 한다.
물에 몸을 맡겨 물결대로 흘러가는 것이 아니라 배라는 수단을 타고 노를 저어 목적지까지 갈 수 있는 사공이 되어야 한다. 잠시 잠깐 의식의 흐름을 놓고 흐르는 대로 살아온 시간을 돌아보면 생각지도 않은 장소(목표)에 와 있는 경우가 있다. 인생 뭐 별거 있어?라는 관점이라면 그런 인생도 나쁘지 않다고 생각할 수 있다. 하지만 그렇게 살아가고 싶진 않다.
이 세상에 내가 왔노라, 왔었노라는 흔적 정도는 남기고 싶은 욕심이 있어서 일까. 절대 흘러가는 대로 살진 않을 것이다. 노를 잡고 저어보자.

오늘도 고민하고 질문하고 답을 찾으려 노력한다.

말하지 않으면 모른다.

'이심전심'
말하지 않아도 마음이 전달된다.
말하지 않아도 진심은 통한다.
맞는 말이다.
하지만 시간이 오래 걸린다.

그 진심이 알려지기까지는.

가장 가깝다는 부모자식 간에도 말하지 않으면 그 속을 알아봐 주기 힘들다. 하물며 부부 사이는 어떻고 지인들과의 관계는 말을 해서 뭐하겠는가.

묵묵히 내 길을 가다 보면 누군가는 나의 진심을, 참모습을 알아봐 주리라 믿는다. 그 믿음은 예나 지금이나 마찬가지이다.
하지만 시간이 오래 걸린다.

고등학교 때의 기억이다.
중학교 때부터 친하게 지냈던 친구가 있었는데 어느새 우리 둘 사이에 또 다른 친구가 끼어들었다. 평소 행실이 좋지 않기로 소문이 나 있던 친구여서 반갑지 않았다.

말하지 않아도 함께 해온 시간이 있기에 내가 너를 얼마나 소중히 생각하는 친구인지 충분히 알 것이라 생각했다. 예상은 보기 좋게 빗나갔다. 내가 널 얼마나 생각하는지 말하지 않으니 알 리가 없었다. 살갑게 다가오는 친구를 어떻게 막을 수 있었을까. 그건 나 같아도 힘들었겠다.

그 친구와 가까운 사이가 되는 것을 지켜보고 있으니 배는 아팠지만 언젠가는 내 진심을 알고 '너가 진정한 친구였다'고 돌아올 것이라 생각했다. 어느 늦은 저녁 친구의 아버지께 전화 한 통이 왔다. 친구의 가방에서 담배가 나왔는데 그게 내 것이라고 했다는 것이다. 비행을 저지르다 아버지께 들통나니 내 핑계를 대기 시작한 것이다.

엄격한 집안에서 밤늦은 외출은 커녕 친구들과의 모임에도 쉽게 나갈 수 없었던 내가(?) 그런 엄청난 짓을 하고 다닌다고는 우리 부모님은 애초에 믿지도 않으셨다. 그럼에도 친구의 아버지가 전화로 따지시는 것을 다 받아주셨다. 친구의 아버지는 다시는 우리 00와 유진이가 못 어울리게 해달라는 으름장을 놓고선 전화를 끊으셨다. 억울했지만 사실이 아닌 것에 화를 내면 더 우스운 꼴이 된다는 것을 나와 부모님은 잘 알고 있었다. 주변의 학부모님들에게도 나에 대해 좋지 않은 말을 전해 친구들과의 관계가 서먹하게 되었다.

그 친구와의 사이는 말로 표현 못 하는 내 성격 탓에 그렇게 멀어져갔고 상황이 악화되었다. 그때의 일은 잊을 수 없었고 친구와의 관계는 고등학교를 졸업할 때까지 회복할 수 없는 사이가 되었다.

대학을 가고 1학년 여름 방학 기간동안 아버지 친구분이 운영하는 마트에서 아르바이트를 하고 있었을 때다. 늦은 저녁 시간 한 손님이 들어온다. 나와 자신의 딸을 못 어울리게 해달라고 큰소리 치시던 친구의 아버지셨다. '세상에.'나를 알아보시고는 계산대로 다가오셨다. 그런데 갑자기 두 손을 꼭 잡으시며 흐느껴 우시는 게 아닌가.

"유진아, 미안하다. 내가 그때 오해를 했다. 너가 우리 00이 한테 가장 좋은 친구였는데, 내가 그걸 미처 몰랐어. 이렇게 사과하마."
생각지도 못한 장소에서 예상 밖의 만남, 그리고 뜻밖의 사과를 받은 나는 뭐라고 말씀드려야 할지 한참을 고민해도 적당한 말이 떠오르지 않았다. 3년간 억울한 마음은 있었지만 잊은 지 오래된 일이라 그때의 감정이 다시 떠오르지 않았다.
"괜찮습니다. 아저씨, 다 지났는데요."

그때 조금 더 적극적으로 친구와의 관계를 회복하기 위한 진심의 말을 했다면, 그리고 내가 아니라는 변명을 당차게 했다면 지금 어떻게 되었을까.

진심이 알려지기까지 시간이 오래 걸렸다.
이런 소소한 에피소드들이 종종 있다. 말하지 않고 표현하지 않아 주변에서 알아봐주길 바라다가 때를 놓친 경우 말이다.
묵묵히 자리를 지키고 있으면 알아봐 줄 거라 생각한다. 자신을 적극적으로 알리지 않으면 묻혀버리는 지금의 시대에 이런 마인드가 먹히지 않는다.

남편은 가끔씩 이렇게 말한다.
"말을 하지 그랬어. 말을 안 하는데 어떻게 알아."
그러게 말이다. 말을 하지 않는데 속내를 알아봐 주길 바라는 건 순전히 내 욕심이다. 말없이 마음을 표현하지 않는 것은 더이상 미덕이 아니다.

좋아하는 일을 하면 지치지 않는다.

"선생님, 목소리 괜찮으세요?"

"네. 저는 괜찮아요. 선생님은 목이 안 좋으세요?"

"이 시간만 되면 목이 잠겨요. 연강은 힘들어요."

옆 강의실의 문법 담당 김선생이다.

시간을 보니 오전 11시.

오전 6시부터 시작되는 강의는 50분 강의에 10분 휴식, 오후 1시까지 이어지는 강의다. 오후에는 논술강의를 하러 금호동으로 이동해야 한다. 빡빡한 일정이었지만 두 가지 모두 놓칠 수 없는 일이어서 힘든지 모르고 했다.

새벽 6시부터 수업을 듣는 학생들도 대단하지만 7타임을 내리 강의하는 강사들에게도 쉽지 않은 일이다. 체력과 목관리를 철저하게 해야 차질없이 새벽 수업을 이어갈 수 있다.

종로에서의 일본어 강의는 간절히 하고 싶었던 일이었기에 힘든 줄 모르고 하던 시절이었다. 어렵게 선 자리다. 어학전공자가 아닌 강사로서 핸디캡을 극복하기 위해서라도 더욱 열심히 해야했다. 초보강사에게 첫 강의를 어학의 메카 종로에서 시작하게 해준 소중한 인연에게도 최선을 다하는 모습이 보답이라고 생각했다. 밥을 먹지 못해도 잠이 부족해도 되려 힘이 났다.

강의를 하면 할수록 목소리에 힘이 생기도 기운이 돌았다. 이때부터 알아차렸다. 강의가 '천직'이라는 것을 말이다. 강사의 길을 걷기 전 대학교 행정실에서 근무한 경험이 있다. 힘들었던 기억뿐이다. 대학생 친구들과 함께 한다는 것은 즐거웠지만 환경 자체가 갑갑했고, 상상의 여성 편력이 힘들었다. 거기에 가만히 앉아서 일하는 직업이 맞지 않는다는 사실을 그때 알았다. 그 좋은 자리를 왜 그만두려 하냐며 주변에서는 말렸지만 행복하지 않은 미래가 눈앞에 아른거려 과감하게 사표를 던지고 나왔다.

첫 강의는 강사료도 얼마 되지 않고 수강생도 많지 않았다. 어떤 강의는 수강생이 한 명일 때도 있었다. 카지노에서 일하는 그 분은 하루도 빼먹지 않고 새벽 강의를 듣고 출근했다. 열심히 들어주는 학생이 있었기에 힘이 났다. 모든 수업에 최선을 다했다. 밤늦게까지 교재분석에 자료 만들기를 하고 3. 4시간을 자고 새벽 출근을 해서 논술학원에서의 퇴근 시간 9시 30분까지 일했다. 지금 다시 그렇게 하면 할 수 있을까 싶을 정도로 열성을 다했다.

1시 수업을 마치면 밥을 먹지도 못한 채 가방을 챙겨 금호동으로 향했다. 일본어 강사 일을 시작하기 전부터 해왔던 일이다. 이곳에서도 오후 2시부터 저녁 9시 30분까지 연속강의였다. 일본어 강의에서 성인을 담담했던 것과는 전혀 다르게 초, 중등을 담당해야 하는 일이었지만 가르친다는 행위는 같았기에 이 일 또한 즐거웠다. 아이들을 워낙 좋아하기도 하고 교육에 관심이 많아서 놓을 수 없는 일이었다.

하루에 13시간 강의. 단 하루도 아파서 결근한 적도 없다. 지각도 없었다. 이 글을 적으면서도 젊었으니 가능했겠구나는 생각이 들기도 하지만 젊음 하나로 버틸 수 있는 일은 아니었다. 즐거웠을 것이다. 일을 일이 아닌 즐거움으로 소명을 갖고 일해서 가능했다.

다른 강사들보다 뛰어난 점은 없었지만 성실함 하나는 자신 있었다. 그런 성실함을 알아보고서 논술학원에서는 1년 만에 부원장 자리로, 어학원에서는 3개월 만에 대기업 출강강의로 이어졌다. 경력이 없는 초보 강사에게 첫 강의를 KOTRA(코트라) 에서 할 수 있었던 행운이 생긴 것도 작은 일도 성실하게 임했던 '태도'덕분인 것 같다. 즐기는 사람의 태도는 알아봐 주는 이가 반드시 있다.

'라떼 시절'을 회상해 본 건 지금도 내가 이 일을 즐기고 있는가라는 의문이 들어서이다.

10년이 지난 지금, 좋아하는 일 앞에서는 지칠 줄 모르고 하던 내가 요즘엔 툭하면 힘들다는 말을 뱉어낸다. 그때와는 여건이 달라진 탓도 있겠지만 모든 일은 마음에서 비롯된다고 생각한다. 지금 하고 있는 일에 대한 간절함, 감사함이 있는지.
오늘 하루는 되돌아보는 시간을 가져야겠다.

PS. 수강생 1명으로 시작했던 초보 강사는 3년 뒤, 강의 스케줄로 빼곡히 적힌 다이어리를 이리저리 살피며 도저히 감당할 수 없는 수업 스케줄로 강의 제안을 거절하기도 한다. 다음 강의 때는 꼭 해 드리겠다는 약속도 하고 주변 강사에게 일자리를 소개해주기도 한다. 간절함을 갖고 열심히 했던 일은 잘 될 수밖에 없다.

회복탄력
나아가는 힘

누구나 꿈꾸는 자신만의 인생계획이 있다. 지금까지 살아온 인생을 한 번 돌아보는 시간을 가져보자. 작게나마 성공했었던 일들과 실패한 계획들을 떠올려보는 것이다. 나의 의지대로 해나갔던 일과 의지와 상관없이 끌려갔던 일들이 있다. 하지 말았어야 할 일과 반드시 했어야만 했던 것들, 한 번에 여러 생각들이 교차할 것이다.

중년이 되어 인생을 뒤돌아보니 다소 어울리지 않는 조합이지만 '후회(실패)와 성장'의 연속이었다고 말할 수 있다. 초, 중등, 고등, 대학, 그리고 취업과 결혼의 경험을 하면서 꾸준히 나아갔다. 머물지는 않았다. 어떻게 보면 성장해왔다고 할 수 있다. 어제보다 나아진 오늘의 모습을 기대하며 하루를 살아왔기에 작게나마 조금씩 성장해왔다. 이 글을 읽고 계신 분들 모두 그러할 것이다.
계.속. 성.장.해. 왔.다.

어제 지인 선생님과 이야기를 나누었다.
자신의 인생에서 되돌리고 싶었던 순간을 이야기해 주었다.
학사에서 박사과정까지 무난히 마치고 공부도 많이 하신 분이신데 50중반이 되어서 보니 성공의 기억이 없다고 한다. 대학에서 학생들을 가르치고 싶어 지원했다가 떨어졌던 경험이 있는데 그 이후로 본인의 인생을 스스로 놔버렸다. 한없이 작아지고 바닥으로 내쳐진 기분이 쉽게 회복이 되지 않아 현재까지 이르렀다고 한다. 그때 놔버린 자신의 인생이 이제야 후회스럽다는데 듣고 있는 나도 공감가는 부분이 많았다. 좌절을 빠르게 회복하고 다른 기회를 잡으려 노력했다면 지금 자신의 인생이 어떻게 되었을지 궁금하다며 잠시 생각에 빠지는 모습이었다.

30대의 선생님을 만나 이렇게 이야기 해주고 싶다.
"괜찮아요. 다시 도전해보세요."라고.

사실 선생님과 비슷한 경험은 나에게도 있다. 회복이 안 되어 놓아버렸던 시기가 있었다. 이 모든 게 삶의 한 과정이며 도전이 계속이 된다면 실패한 게 아니라는 걸 알려주는 사람이 있었다면 다시 일어서는데 덜 힘들었을 것이다.

선생님과 이야기를 나눈 후, 우리 아이들이 인생에서 멘토의 역할을 해줄 어른을 빨리 만나게 된다면 더없는 행운이겠다는 생각이 들었다. 공부도 중요하지만 인생을 먼저 살아본 사람의 지혜로운 어른이 "그래도 괜찮다. 인생을 멀리 봐라."는 이야기를 해준다면 겪게 될 수많은 실패들을 덜 힘들게 받아들일 수 있다.

그래서 우리 아이들에게 공부보다 더 중요하다고 생각되는 것들을 알려주는 선배의 역할을 해보고 싶어 정리해두었다. 원하는 삶을 살기 위해서는 자기조절력(마인트컨트롤)이 중요하다. 이 책에서는 모든 일은 마음에서 비롯된다는 하나의 주제로 끊임없이 이야기하는데 나 자신뿐 아니라 세상에서 가장 사랑하는 우리 아이들에게 남겨주고 싶은 메시지이기도 하다.

자기조절력을 키우는 연습, 어쩌면 인생에서 가장 힘써야 하는 부분이다. 인생에서 반드시 키워나가야 할 자기조절력을 크게 다섯 영역으로 생각해두었다.

첫번째, 자립심

두번째, 회복탄력성

세번째, 정리력

네번째, 끈기

다섯번째, 마인드컨트롤(평정심)

그 중에서도 두 번째, 회복탄력성을 이야기하고 싶다.

회복탄력성, 넘어지고 또 넘어져도 아무렇지도 않게 툴툴 털고 일어날 수 있는 힘.

돌 무렵 걸음마를 시작한 아기는 천천히 상체를 일으키며 아슬아슬하게 걷고 넘어지다 일어서기를 반복한다. 스스로 발을 떼어 걷는 아기의 모습은 기특하기도 하고 걱정스럽기도 하다.

세 아이 모두 걸음마가 빠른 편이었다. 첫째는 9개월, 둘째는 10개월, 셋째도 돌이 안 되어 걷기 시작했다. 누군가 배밀이와 기어 다니기를 오래하는 아이가 걷는 것도 안정적이라고 했다. 큰딸은 기어 다니는 기간이 매우 짧았다. 그런 이유에서인 걷기 시작하면서부터 넘어지는 횟수가 잦았다. 초등학교 고학년이 되어서도 잘 넘어진다.

유아기 때는 넘어지는 모습에 안절부절 곧장 쫓아가 일으켜 세워주곤 했다. 아픈 것보다 놀라서인지 크게 울음을 터트렸다. 여러 차례 넘어지면서 아무렇지 않게 일어나는 모습에 커가는 시간을 느낄 수 있었다. 넘어진 채로 주저앉아 엉엉 울며 엄마가 뛰어오기만을 기다리던 딸은 어느새 스스로 일어나 다시 앞을 보며 걷기 시작한다. 지금은 아픈 것보다 창피해서 울고 싶어진다고 한다. 걷다 보면 넘어질 수도 있고, 잘못 넘어져 다칠 수도 있다. 하지만 넘어진 자세는 다시 일으켜 세우면 되고 상처는 치료하면 된다. 금세 새살이 돋는다. 시간이 흐르면 넘어졌던 기억도 잊는다. 넘어진 장소를 마주치게 되면 조금 더 조심하게 된다.

걷는 과정 속에서는 빠질 수 없는 것이 넘어짐이다. 다 큰 어른들도 걷다가 넘어지는 경우가 있다. 앞으로 계속해서 걸어가는 행위를 우리의 인생, 넘어지는 것을 장애물, 실패라고 생각해보자. 인생에 장애물이 없다는 건 불가능한 이야기다. 장애물을 만나면 조심하면 되고 실패하게 되면 다시 잘 일어나면 된다. 인생의 한 과정이다. 넘어지면서 이렇게 넘어졌더니 이런 상처가 나고 저렇게 넘어졌더니 아무렇지 않더라는 교훈도 얻을 수 있다. 다시 일어나는 힘. 그것도 빠르게 다시 회복하는 힘을 길러가길 바란다. 우리 아이들도 우리 자신도.

에너지 분산법
어디에 에너지를 쏟을 것인가?

우리의 삶은 매일매일 선택의 연속이다. 어디에 우리의 에너지를 쏟으며 살아갈지를 결정하는 것도 중요한 부분이다. 우리가 가진 에너지는 한정적이다. 모든 일에 같은 에너지를 쏟고 살 수는 없다. 제한된 에너지를 분산해서 사용한다는 것은 삶의 질을 높이고자 하는 욕망이다.

에너지 분산법을 생각해보고 싶다. 효율적으로 분산시켜 사용함으로써, 중요한 일에 더 많은 에너지를 중요하지 않은 일에는 낭비하지 않는 것. 이는 일의 우선순위를 정하고, 중요한 것들에 집중하는 데 도움을 준다.

첫째, 우리는 자신에게 정말 중요한 것이 무엇인지를 명확히 알아야 한다. 자신에게 끊임없이 질문해라. 이것이 중요한 일인지 아닌지를 말이다. 목표와 꿈에 기반한 질문이어야 한다. 당장의 이익을 염두에 두고 하는 것이 아니라 거시적 안목으로 보아야 한다.

둘째, 힘쓰지 않아도 되는 일에 에너지를 낭비하지 않는다. 특히 감정 소모다. 에너지를 쓰지 않아도 되는 사소한 부분까지 신경 쓰는 이들이 적지 않다. 통제할 수 없는 일까지 신경을 쓰다 보니 곧 스트레스로 변질되어 온다. 정말 중요한 일을 하는데 집중할 수 없게 되기도 한다. 감정 컨트롤은 에너지를 분산해서 쓰는데 가장 중요한 부분이라고 볼 수 있다.

셋째, 우리는 때로는 '아니오'를 말해야 한다. 제한된 시간과 에너지를 모든 요구나 기회에 '예'라고 할 수는 없다. 중요하지 않은 일이나 자신의 가치관과 맞지 않는 일에는 과감히 '아니오'라고 말해보자.

모든 일에 마음을 쓸 필요는 없다. 그것을 어디에 사용할지는 우리 스스로가 결정하는 것이다. 에너지 분산법을 통해 진정으로 중요한 것에 집중해보는 삶이 필요하다. 중년에는 더더욱 말이다. 우리의 선택과 결정은 우리 삶의 방향을 결정짓는다. 지혜롭게 관리하고 분산시켜, 진행 중인 목표와 꿈을 향해 한 걸음 더 나아가보자.

사람을 이해(理解)한다는 것

사람을 이해한다는 것은 어려운 일이다.

이해(理解)의 사전적 의미.

1. 사리를 분별하여 해석함.
2. 깨달아 앎. 또는 잘 알아서 받아들임.
3. 남의 사정을 잘 헤아려 너그러이 받아들임.

이해라는 용어의 의미를 보면 수용적 태도를 보여준다. 잘 알아서 받아들임, 남의 사정을 잘 헤아려 너그러이 받아들이는 것. 이해한다는 것은 받아들일 자세가 되어 있어야 하는 의미로 받아들여도 무방할 듯하다. 그래서 나에겐 사람의 이해가 가장 어렵다. 사람은 이해가 아닌 있는 그대로 인정해야 하는 존재라는 전제에서 차이가 나서이다.

언젠가부터 사람들과 관계를 맺어가는 일이 일(事)처럼 느껴졌다. 한 사람을 알게 되고 그 사람을 이해해 나가는 데에 투자해야 하는 시간과 에너지 소모가 크다. 누구와도 우호적으로 지내야 하며 맞지 않는 상대와도 맞춰지낼 줄 알아야 한다고 생각했던 시기도 있었다. 혼자서는 살아갈 수 없는 세상에서 살아남을 수 있다고 말이다. 늘 새로운 환경과 사람을 만나야 했던 성장 과정 속에서 자연스레 장착된 태도이다. 어떤 때는 의도적으로 사람들과 친분을 맺기 위해 다가가기도 했다. 사회생활을 하고 나서부터 그 사람이 그냥 좋아서 인간적으로 다가가고 싶은 마음이 들어서 만나는 경우는 드물다. 어떠한 형태로든 이해관계가 바탕이 되어야 그들의 선 안으로 들어가 소위 말하는 지인이 되는 것이다.

어느 순간부터 피곤함이 몰려왔다. 그들과 지인이 되면 얻게 될 이득이 많은 것을 알지만 선뜩 그 선 안으로 들어가기가 두렵다. 진심이 아닌 관계다. 진심이 아닌 관계는 선심이 되기 쉽다. 한쪽의 누군가가 선심 쓰듯 관계를 이어가준다. 그들도 어떻게 보면 자신의 시간과 에너지를 투자해주는 것이다.

사람을 이해관계가 아닌 그대로의 인정으로 만나는 관계가 되면 여러모로 편해진다. 이해로 너그러이 받아들이는 것이 아닌, 그냥 있는 그대로를 인정하게 되면 만남이 자연스러워진다. 힘이 들어가지 않은 관계를 맺을 수 있다. 사람과의 만남도 수월해진다. 그 사람을 있는 그대로 인정하기에 자연스럽게 마음에 끌리는 사람들과 이어진다.

어쩌면 너를 이해한다는 말은 자기중심적이다. 나의 경계선 안으로 들어올 수 있다는 허락과 같은 의미이다. 상대에게 한 발짝 다가가는 듯 들리지만 결국은 나의 마음의 문을 열어준 것이다.

변화를 원하시나요?

그렇다면 뭐든 해야 한다.
변화를 원하는데 어디서 부터 어떻게 해야 할지 모르겠는 막막함도 있을 것이다. 그런 고민을 수없이 해온 경험이 있다.

그런데 한 가지 확실하게 알게 된 사실.
변화가 필요하다면 먼저 마음을 바꿔먹고 작은 것부터 바꿔보는 것이다. 변화고자 하는 마음을 입으로만 내뱉는다고 이루어지지 않는다. 절대 바뀌지 않는다. 원하는 게 있다면 노력을 해야하는 것이 당연한 이치다. 세상에 공짜는 없습니다. 공짜라 생각하고 덥석 받았지만 과거에서부터 쌓아온 행동의 결과다. 행동 없이 그냥 주어지는 지금은 없다.

변화를 일으키는 가장 좋은 방법은 환경 설정을 다시 하는 것이다. 이전에 가보지 않은 낯선 길을 가본다든지, 새로운 사람과의 만남, 혹은 이사와 같은 환경의 변화, 스타일 변화 등으로 환기해본다. 재설정하면 변화가 시작된다. 기존과는 다른 바람이 불기 시작한다.

그럼에도 작은 것을 바꾸는 것만으로 두려움이 생긴다는 분들을 많이 보아왔다. 머리로는 알겠는데 조언들이 실천으로 이어지기까지는 현실적으로 많은 어려움이 따른다.

그렇다면 만약 그러한 사람이라면 이것쯤은 가능할 것이다.

'독서'
변화를 일으키는데 가장 쉽고 투자 대비 가성비가 가장 좋은 방법이다.

'어떻게 시작해야 할까?'
무조건 읽는다. 마음 가는 대로 손에 잡히는 대로 읽어본다. 누구의 추천이나 필독서가 아닌 읽고 싶은 책을 무작위로 집어 읽어낸다. 읽어낸다는 표현이 맞을 것이다. 변화하기로 마음먹은 그 순간부터 억지로라도 읽어낸다. 완독의 기쁨은 느껴보게 되면 조금씩 욕심이 생긴다. 성취감이 생겨 나도 할 수 있다는 것을 조금씩 깨닫게 된다. 내가 이루고자 하는 목표와 모습에 도움이 되는 책들이 눈에 들어오는 순간이 있다. 혹은 롤모델이 읽은 책들을 그대로 답습해보고 싶다는 욕구도 생기실 것이다.

이쯤 되면 이미 변한 거다. 알게 모르게.

이제부터는 독서는 여유시간을 채우기 위한 취미생활이 아니다. 전투적으로 해야하는 변화의 도구다.
짧게는 6개월, 길게는 3년만 집중하고 투자해보는 것이다. 전략적으로 말이다. 마음 내키면 읽고, 바쁘면 피하고, 예쁜 카페에 가면 인증하기 위해 꺼내는 취미독서로는 변하기 힘들다.
책으로 변화겠다고 마음먹은 순간부터는 제대로 읽어야 한다.

대학 시절 가장 무서운 학생들이 군대 다녀온 복학생들이었다. 그들이 정신 차리고 공부해서 단기간에 성과를 내는 모습을 많이 봐와서다. 마음먹고 뛰어드는냐 그냥 하느냐에 따라 결과는 큰 차이를 가져온다.

반드시 변하겠다는 의지와 믿음으로 1년 동안 온정신을 모아서 읽었으면 한다.

'그렇다면 어떤 책을 읽어야 할까?'

독서리스트를 만들어서 시작하는 것이 가장 좋고 나의 경우 일주일에 2~3권씩 읽는 양은 정해두되 리스트는 미리 정하지 않고 읽기도 한다. 내가 하는 방법들을 몇 가지 소개해보면,

첫째, 변하고 싶은 모습에 가장 가까운 롤모델을 잘 살펴본다. 요즘 소위 잘 나간다는 사람들, 한분야에서 이렇다할 명성을 얻은 이, 혹은 누가나 인정하는 부자들을 보면 그들의 공통점 중 하나가 바쁜 시간을 쪼개 독서를 전투적으로 하고 있다는 사실이다.
그들이 읽었다는 책들을 뒤쫓아 읽는다.

둘째, 읽다 보면 이 책이다! 싶은 저자를 만나게 되는데 그 저자가 쓴 다른 책들도 함께 읽어본다. 저자의 생각을 정확하게 이해하기 위해서는 그들의 다른 저서들을 읽어보면 도움이 된다.

셋째, 유행하는 도서를 본다. 베스트셀러가 되는 데에는 이유가 있다. 책을 보는 눈이 생길 때까지 베스트셀러를 놓치지 않고 읽는다.

그리고 마지막으로 책 속의 책을 읽는다. 책 속에서 언급되거나 참고문헌으로 언급된 책들 중에 다음 읽을 도서를 미리 선택해둔다. 그러면 지금 읽는 책을 더 깊이 있게 이해하게 된다.

'책 속에 길이 있다.'
절대 틀린 말이 아닙니다. 책 속의 길을 찾기까지는 취미독서로는 시간이 많이 걸린다. 단기간의 변화를 원한다면 딱 1년만 전투적으로 읽어보길 바란다.

가성비 좋은 방법을 공유했으니 오늘부터 당장 책 한 권을 들어보는 것이다. 좀처럼 마음먹기 힘들다면 먼저 행동으로 나서보는 것도 도움된다.

삶의 만족도를 높이는 방법

삶의 만족도를 수치로 나타낼 수 있다면?
0부터 10까지의 수 중에 어디쯤이라고 생각하는가?
나의 경우 적어도 7에는 도달해 있다. 과반을 넘긴 수치라 나쁘지 않다. 그럼에도 채우지 못한 3에 대한 미련이 남아 이번 기회에 글로 정리해두려 한다. 만족도를 글로 높여보려 한다.

삶의 만족도는 지극히 주관적이기에 최우선으로 조절해야 하는 것이 마인드다. 마인드의 변화만으로 만족도의 수치는 변화된다.

가장 먼저 해야 할 일은 불필요한 감정 소모를 하지 않는 것이다. 비교, 경쟁과 미움.

1. 불필요한 감정 소모를 하지 않는다. 비교, 경쟁과 미움.

하면 할수록 에너지 소모가 많고 좋은 기운마저 흔들리게 하는 감정이다. 비교는 끝이 없다. 빗대어 비슷한 점, 차이점을 찾고 고찰해야 함에도 사람들은 차이점에만 초점을 둔다. 사람마다 태어나고 자란 환경과 형편이 다르므로 인정하고 비교의 출발점을 두어야 한다. 그럼에도 사람들은 어느덧 결과만을 보고 판단한다. 나 혼자만의 비교에서 시작해 남편, 자식, 심지어 어찌할 수 없는 부모의 환경까지 비교하려 하니 끝이 없는 감정 소모가 된다. 비교는 우울의 시작이다. 다른 것을 인정하지 않고 다름에 한탄을 하면 그것이 나를 죽이는 우울의 길로 들어서게 한다. 비교를 하더라도 나를 살리는 비교를 해야 한다. 나에게 없는 점을 닮아가고 배우려 들면 긍정적 비교가 될 수 있다.

비교와 비슷하게 하면 할수록 나쁜 기운을 모이게 하는 감정이 바로 경쟁과 미움이다. 어떻게 보면 이 모든 감정이 비교에서 시작되었다고도 할 수 있겠다. 비교를 하여 인정하지 못하는 부분은 부당해 보이고 그것이 경쟁할 대상, 그리고 미움으로 이어진다.
누군가를 미워해본 적이 있는가? 미움의 감정이 사랑으로 변하는 건 쉽지 않다. 하지만 사랑의 감정이 미움으로 바뀌는 건 일순간이다. 그만큼 긍정에너지를 금세 빼앗는 감정이다. 미워하기 시작하면 사소한 행동까지 부정적으로 보인다. 자칫 이런 감정이 세상을 보는 프레임으로 변할 수 있기에 미움은 다스리고 버려야 할 감정이다. 다른 글에서도 반복 강조하듯이 인정하면 편하다. 인정하기 시작하면 미움이라는 감정이 자리 잡지 않는다. '너는 그렇구나.' 비교하지 않고 경쟁하지 아니하고, 미워하지 않는 것만으로도 삶의 만족도는 상당히 올라간다.

다음으로 말하고 싶은 것은 습관에 관한 이야기다. 이러한 습관들이 몸에 베이면 스트레스를 덜 받는다. 스트레스를 덜 받으면 일이 잘 풀리고 삶의 만족도가 매우 높다.

2. 우선순위를 매기는 습관, 계획하고 움직인다.

일을 잘하는 사람을 지켜본 적이 있는가? 그들을 자세히 지켜보면 쓸데없는 행동을 줄인다. 해야 할 일을 줄줄이 나열하기 보다는 하지 말아야 하는 일들에 초점을 두고 반드시 해야 할 중요한 일을 우선순위에 둔다. 모든 일의 시작은 계획에서부터 시작한다. 계획을 세우고 중요한 일 중심으로 하루를 보내는 사람은 만족도가 높다. 하루를 마치고도 일을 마무리하지 못해 짜증이 밀려왔던 경험들이 많을 것이다. 시간이 부족해서 그랬다고 생각하는가? 그렇지 않을 것이다. 하지 않아도 되는 일을 우선적으로 했기에 정작 중요한 업무가 뒤로 밀려나서 결국 마무리를 짓지 못하고 미루는 경우가 허다했을 것이다.

하루 24시간 중 계획을 세우고 우선순위를 정하는 것에는 단 30분이면 된다. 이 30분이 하루를 충만히 채워주고 삶 또한 원하는 방향으로 이끌어 갈 것이다. 불필요한 것들은 리스트에서 없애는 일, 그리고 순서를 정해 중요한 일을 먼저 해내는 것은 삶에서 꼭 필요한 습관이다. 시간은 계획한 자들에게 넉넉한 법이니깐.

3. 호기심을 가져라. 독서와 배움

호기심은 사람을 움직이게 하는 원동력이 된다. 호기심은 틀 안에 갇히지 않는 사고를 갖게 해준다. 틀 밖에서는 자유롭다. 갇히지 않고 자유로운 사고를 가진 사람은 행복하다. 호기심을 채울 수 있는 방법 중 가장 좋은 방법은 우리가 잘 알고 있다시피 독서와 배움이다. 평생 배움의 자세를 가지기를 권해 본다.

독서와 배움을 통해 얻는 기쁨은 말로 형용할 수 없을 정도다. 몰랐던 지식의 발견과 내면의 깨달음을 얻게 해주는 독서는 삶을 살찌운다. 읽고 또 읽고, 배우고 또 배우다 보면 나의 무지함에 놀라고 세상의 모든 현상에 소소한 즐거움을 느낀다. 끊임없는 배움을 목표에 두면 삶의 불평불만이 줄어든다. 모든 것이 배움의 과정으로 받아들여져서이다. 실패 또한 배워나가는 과정인 학습의 일종이다.

4. 생각하는 힘(명상과 기록)

스스로 생각하는 힘을 길러야 한다. 생각의 힘은 모든 것을 나로부터 시작하는 힘이 있다. 타인의 평가에 흔들리지 않고 내면의 소리에 귀를 기울일 수 있다. 평가에 예민하지 않으면 조급하지 않다.

생각하는 힘을 기르는데 도움되는 것은 명상이다. 명상을 통해 집중하고 오롯이 자신을 들여다볼 수 있는 시간을 가질 수 있다. 충만한 삶을 사는 수행자들 가운데 명상을 생활화하는 사람들이 대다수다.

명상과 더불어 생각을 정리하고 자신과 끊임없이 대화를 시도해볼 수 있는 도구가 바로 기록이다. 기록은 여백을 만들어 준다. 기록을 통해 복잡한 머릿속을 정리하고 여러 방향을 생각해볼 여유도 생긴다. 자신의 삶에 집중할 수 있게 된다.

5. 자동화(루틴 그리고 정리, 비움)

사소하고도 중요한 습관들은 루틴화 시키는 게 좋다. 예를 들어 학습의 시간과 운동, 명상을 하는 시간은 정해둔 시간에 하는 것이다. 루틴화의 장점은 많은 에너지를 쏟지 않아도 된다는 거다. 할까 말까 망설이는 감정 낭비도 줄어든다. 루틴화되지 않은 일들은 매일 선택에 놓이게 된다.

루틴화 시켜야 하는 습관 중에서도 가장 중요한 것은 정리정돈이다. 정리의 습관으로 작게는 현관 신발을 정리하는 것부터다. 제자리에 물건을 가져다 놓는 것만으로도 시간 낭비와 스트레스를 줄일 수 있다. 그리고 주기적으로 물건을 비움으로써 공간의 여유를 둔다. 공간은 마음과도 직결된다. 얽히고 쌓인 짐은 마음에서 비롯된다. 마음이 충만해지면 물질의 의존도가 낮아진다. 비움으로써 갖게 되는 여유만큼 마음에도 공간이 생긴다. 그 공간은 언제든 받아들일 수 있는 여유로 가지고 있어야 한다.

오롯이 내 삶에 집중할 수 있도록 외부적 요인들을 단순화시키고 불필요한 에너지를 낭비하지 않아야겠다. 중년의 나이는 힘을 소진하기 보다는 비축해둬야 하는 시기다.

나는 누구인가?
스스로에게 질문해야할 시간이다.

사람은 무언가 평가하기를 좋아한다. 그동안 살아온 경험을 기준으로 판단하기를 좋아한다. 물건에 대한 평가든, 타인에 대한 평가든 기준을 두고 평한다. 그런데 정작, 자신의 대한 평가에는 어려움을 느낀다.
'스스로에게의 질문조차 두려워한다.'
40년이 넘는 시간동안 나라는 존재에 대해 어떤 사람인지 스스로에게 질문해 본 적이 없다. 어쩌면 가장 먼저, 그리고 자주 물어야 하는 존재는 나 자신임에도 불구하고 말이다.

나의 강점을 찾겠다며 5주간 1인 경영 수업을 들었다. 작은 공부방 운영에서 이제는 경영자의 마인드로 조금씩 사업의 방향을 바꿔보고 싶은 욕심에서의 출발이었다. 교육을 마칠 때쯤이면 대단한 변화를 예상한다. 그럴 거라 믿는다. 늘 새로운 환경 앞에서는 그런 믿음이 필요하다.

결제를 하고 첫 교육을 기다리는 시간이었다. 기다리던 교육시간이 되었고 기대감에 한껏 부풀어있었다. 결론을 이야기하자면 첫 교육을 받는 내내 불편했다.

'당신은 누구인가요? 당신은 어떤 사람인가요? 그래서 당신은 무엇을 하고 싶은 사람인가요?' 그동안 생각해보지 않았던 질문들을 끊임없이 한다.

어쩌면 생각하고 싶지 않은 질문들이었을지도 모른다. 일부로 회피해왔던 질문들. 구체적으로 생각하면 낱낱이 드러나게 되고 자책이 밀려오는 불편한 질문들이다.

'그동안 뭘 한 거지? 왜 인생을 이런 식으로 산 거야.'

그래도 이 정도면 괜찮게 산 거라며 스스로를 위안하듯 피해온 질문들을 마주한 순간 현실에서의 내 모습에 작아지기 시작했다.

두 번째 코칭을 받은 후, 내 안의 자아를 천천히 분리시켜 보았다. 베스트셀러작가 자청의 말처럼 자의식을 해체하는 과정이었다. 그리고 천천히 질문을 시작했다.

'넌 어떤 사람이야? 너는 하고 싶은 일이 뭐야? 끝까지 해내고 싶은 일은 있어?'
여전히 불편하다.

이러이러한 환경에 놓여있었기에 어쩔 수 없는 선택으로 여기까지 왔어라고 생각했던 모든 것이 핑계라는 것을 깨달았다. '어쩔 수 없이'가 아닌 모두 나의 선택이었다. 그 결과가 지금의 삶의 모습이다.

돌이켜 생각해보면 어쩔 수 없었던 것은 없었다. 다른 방법을 찾거나 시도할 수 있는 기회도 많았다. 그럼에도 어쩔 수 없다고 해버리면 다른 이유를 대지 않아도 되니 편했다. 더이상 묻지 않으니 말이다.

할 수 있었음에도 스스로 돌보지 않은 것들에 대한 미련이 남아서 지금도 많이 방황한다. 그렇게라도 해야 열심히는 살고 있다는 핑계를 댈 수 있어서다.

다른 교육생들보다 조금 빨리 줌 교육에 입장했다. 교수님과 단둘이 있는 곳에서 물어오신다.
"유진씨, 그래도 오전 시간에는 대체로 한가하신가 봐요? 그 시간에 뭐 하세요?"
"네, 오전에는 일이 없어서 혼자 책 읽고 공부하는 시간을 갖습니다."
"이제 그만 하세요. 그 공부! 남의 책도 그 정도 읽으셨으면 됐을 것 같은데요. 언제까지 남의 책만 읽을 거에요. 본인 거 하세요. 본인 콘텐츠를 만들고 본인 이야기를 하세요. 그 시간에."

"......................제가......요?....."

한 번도 내 이야기를 콘텐츠로 만들어봐야겠다는 생각을 해보지 않았다. 지금 유행하는 것, 그리고 앞으로 돈이 될만한 것들을 쫓아다니기 바빴다. 내 이야기는 초라하고 다른 이들의 이야기는 위대하게 느껴졌다.

"요즘 무슨 책 읽으세요?"

"요즘엔 마케팅공부를 해보려고 관련 도서들을 보고 있습니다. 교육도서에 살짝 염증을 느껴서요."

"유진씨는 이미 그걸 뛰어넘어서 그래요. 그러면 이제는 나올 때가 되었습니다. 유진씨만의 교육이야기가요."

"아...제가 그렇게 할 수 있을까요?....."

무엇부터 해야할 지에 대한 고민을 하기에 앞서 불편한 질문을 하나씩 해나갈 것이다.

질문은 불편하다. 특히나 답이 없는 질문은 더욱 그렇다.

하지만 질문하고 생각하지 않으면 목적과 목표가 없는 인생으로 흘러갈 것이 뻔하다. 5년 뒤에도 '어쩌다 보니'라며 살고 싶지는 않다.

'이렇게 해서' 이런 결과를 얻었다고 당당하게 이야기할 수 있는 모습을 그려본다.

현재의 삶에 집중해야하는 이유

미래는 예측할 대상이 아니고 선택할 대상이다.

박정부, <천원을 경영하라>

매일이 선택의 연속, 그 결과가 미래의 모습이다. 아성다이소의 창업자 박정부회장의 책에서 이 한 문장이 내리꽂힌다.

그래! 미래는 예측이 아닌 선택이다.
지금 매일 선택하고 있는 일들이 미래에 어떤 결과를 가져올지는 아무도 모른다. 하지만 확실한 것은 있다. 올바른 선택과 방향이라면 결과 또한 어느 정도는 예상이 된다. 현재를 부실하게 살면서 미래에 행복한 결말을 원하는 것은 욕심을 뛰어넘어 망상이다. 현재는 미래의 저축이다.

지금 이순간에 최선을 다하고 집중해야 한다. 불안한 미래에 손 놓고 있으면 미래도 또한 달라지지 않는다. 이와 더불어 돌이킬 수 없는 과거에 발목이 잡혀 현재에 집중하지 못하는 사람도 다수 보아왔다. 과거의 화려했던 기억들은 현재의 삶을 불만족스럽게 만든다. 불만족스러운 현실은 회피하고 싶은 것들 투성이어서 똑바로 보기 힘들다. 현실을 바로 볼 수 없으니 집중하기 힘들다. 눈앞에 놓은 선택들도 어쩌다 보니 어쩔 수 없는 상황이 되어버린다. 지금에 집중하지 못한 삶은 악순환이 계속될 뿐이다. 왜냐하면 지금의 시간은 미래와 연결되어 있기 때문이다.

현재의 삶에 집중하며 미래를 바꿀 수 있는 세 가지 방법에 대해 나누어 보고 싶다.

어느 순간 흔들리지 않는 삶을 살게 하는 데 도움이 될 것이다.

첫째, 최선을 다한다. 지금 하고 있는 일을.

어떠한 일을 하든 그 일에 최선을 다하는 사람을 만나면 기분이 좋다. 멋있기까지 하다. 일을 대하는 태도에서 그 사람의 삶의 모습이 보인다. 어떤 일이든 맡길 수 있겠다는 믿음이 생긴다. 어떠한 기회가 생기게 되면 자신의 일에 최선을 다하는 사람을 먼저 떠올리게 된다.

지금까지 수많은 기회를 얻고 혜택을 받았던 것도 당시의 일에 최선을 다하는 모습을 누군가가 지켜보고 있었기에 가능했다. 생각지도 못했던 사람에게서 기회를 얻은 적도 종종 있다. 기회는 꼬리를 물고 찾아온다. 첫 물꼬를 트여주는 기회는 모두 지금의 일에 최선을 다했을 때였다. 지금 이순간도 나의 모습을 보고 어떠한 기회를 가져다줄지 모른다. 그래서 매일, 지금, 오늘에 최선을 다한다.

둘째, 배움을 놓지 않는다. 지금 공부해야 할 시간.

지금 공부하는 것이 미래에 어떤 형태로 도움이 될지 모른다. 만약 미래에 꿈꾸고 있는 모습이 있다면 지금부터 전략적으로 공부해나 가는 것도 좋다. 더 나은 미래를 맞이하는데 가장 쉬운 방법이 공부다. 아무것도 하지 않으면 아무것도 아닌 모습의 미래가 기다리고 있을 것이다. 기회는 준비되어있는 사람이 알아보기 쉽다. 우연이란 것은 없다. 우연을 가장한 준비된 기회들이다. 꾸준히 배움을 이어간다면 써먹을 수 있는 기회는 반드시 온다. 지금 배우자. 그리고 미래에 써먹자.

셋째, 모든 것이 태도에서 비롯된다.

현재의 만족하는 삶을 사는 사람들은 태도부터 다르다. 지금에 진심이다. 아주 사소한 부분에서까지 진심이 보이는 행동을 한다. 계산되지 않은 태도는 그가 어떻게 살아왔고 어떻게 살아갈지도 보인다. 꼰대같은 이야기로 들리지 모르겠으나 그동안 겪었던 사람들 중에 태도가 좋은 사람이 잘 되는 경우를 자주 보았다. 경청의 자세, 함부로 하지 않는 말투, 제스처 등 모든 것이 태도라고 할 수 있겠다. 지금 눈앞에 있는 상황과 사람을 존중하는 마음이 태도로 자연스레 나오게 되어 있다. 그래서 현재에 집중하는 삶을 사는 사람들은 태도가 남다르다.

미래는 바꿀 수 있다. 현재를 살고 있는 사람이라면.

현재를 바라보고 오롯이 나에게 집중하면 나를 위한 준비된 미래가 온다. 행복의 중심을 과거나 미래에 둔다면 만족스럽지 못한 삶의 연속이 될 것이다. 내가 원하는 삶의 모습을 위해 현재에 집중해야한다.

그 이야기를 하고 싶었다.
새해하고도 둘째 날에 말이다.

시간 관리가 안 돼요.

"시간을 관리하지 말고 잘 쓰세요."
시간 관리에 대해 어려움을 호소하시는 분께 이렇게 조언해 드렸다. 긴 이야기를 할 수 없는 지하철 안에서 너무나도 뜬금없는 말에 갸우뚱하는 모습이었지만, 언젠가 인연이 닿으면 제 글을 읽게 될지도 모른다는 생각에 몇 자 적어본다.

누구나 시간을 관리할 수는 없다. 시간은 붙잡는다고 붙잡히지도 않고 갖고 싶다고 가질 수도 없는 것이다. 누구에게나 공평하게 주어지는 것이므로 소중함을 아는 사람도 적다.

그런데 하루를 이렇게 생각해보자. 할 일은 태산인데 시간은 24시간뿐, 생존에 필요한 수면 시간과 식사시간을 빼면 길어봤자 14시간. 누군가는 이 시간을 2배로 28시간처럼 사용하고, 누군가는 2/1, 7시간처럼 사용하기도 한다.

세 아이를 키우며 어떻게 취미생활을 하세요?
많이 바쁘신데 독서시간을 어떻게 가지나요?
잠은 얼마나 자나요?

최근에 가장 많이 받은 질문이다. 집안 살림만 해도 하루가 다 가던데 세 아이를 키우면서 육아와 일, 그리고 취미생활을 하는 모습이 주변에서 보던 이들의 궁금증을 불러일으켰나 보다. 바쁘냐고 물으면 늘 괜찮다고 하는 나는 누가 봐도 시간 부자다. 세상에 모든 일이 마음대로 되지는 않지만 그래도 시간만큼은 원하는 대로 보낼 수 있다. 누구든 24시간을 잘 쓰는 시간 부자가 될 수 있다는 말이다.

그렇게 하기 위해서는 무엇부터 어떻게 해야 할지 정리해 보고 싶었다. 나에게는 너무나도 쉬워진 시간 사용법이 단, 1명에게라도 도움이 되었으면 하는 바람이다.

시간을 잘 활용하고 싶다면 먼저 이렇게 해보길 권한다.

첫째, 왜 시간을 잘 쓰고 싶은지 생각해보자. 혹시 이루고 싶은 것이 있다면 왜 이루고 싶은지 간절한 목표인지를 본다. 단순히 열심히 살기 위해 시간을 활용하는 것이라면 그냥 쉬는 게 낫다.
목표가 뚜렷해야지만 시간을 잘 활용하고 싶다면 의지가 지속된다. 목표 없이 무턱대고 매일 열심히 책을 읽거나 자기계발에 힘을 쏟으면 금세 슬럼프에 빠진다. 이게 다 무슨 소용이람, 당장 밥벌이를 해주는 것도 아닌데 하면서.

목표는 단기 목표로 잡는 것이 유리하다. 물론 최종 장기적인 큰 목표가 있어야 하는 것도 맞지만 단기로 잡고서는 장기로 가야 한다. 가시적인 효과가 보여야 지지치 않는다.

둘째, 집중이 잘 되는 시간대, 나만의 시간을 찾는다. 최소 2~3 시간 연속해서 사용할 수 있는 시간을 찾는 것이 중요하다. 나는 주로 새벽 시간을 활용한다. 읽고 싶은 책이 있거나 기록하고 싶은 글이 있으면 이른 아침에 모두 해낸다. 아침 시간 2시간과 오후의 2시간은 같은 양이지만 질적으로 차이가 난다. 낮 시간대는 방해 요소들이 많다. 새벽 시간에 독서와 글쓰기를 모두 하는 것만으로도 다른 이들이 보았을 때 많은 일을 해내는 것처럼 보인다. 집중이 잘 되는 시간대이다 보니 어떨 땐 한 권 이상을 읽을 때도 있다. 시간 투자 양에 비해 많은 효과를 내는 시간이다. 그래서 이 시간에 가장 중요한 우선순위의 일들을 모두 한다.

셋째, 매일 반복되는 일들은 루틴으로 고정시켜 놓는다.

2. 3일 정도 자신의 일상을 모두 기록해보는 거다. 한 시간 단위로 말이다. 그러면 보인다. 낭비하고 있는 시간과 매일 반복하고 있는 일들이 말이다. 매일 반복하는 일들은 루틴으로 만들어 버린다. 그러면 고민하는 시간이 짧아진다. 그냥 하게 된다. 마치 하루 세끼 일정한 시간에 먹는 식사처럼 말이다. 운동시간을 루틴으로 만들어 버리고 싶다면 시간을 고정시켜 놓는다. 하루에 한 시간 운동이 아닌, 오전 6시부터 7시까지 달리기 이렇게 말이다. 정확한 시간을 기록하고 절대로 어겨서는 안 되는 루틴이다.

넷째, 하는 김에 하는 일들을 해본다.
'~하는 김에'라는 단어를 좋아한다. 학창시절 일본어를 공부할 때 이 단어가 외우기 어려운 단어 중 하나였다. 늘 중얼거리며 외우던 기억이 난다. 사용하던 언어는 은연중 생활 모습에 스며든다. 그때 이후로 '~하는 김에 ~하다'는 나의 행동 패턴이 되었다. 예를 들어 샤워하는 김에 손빨래하기, 출근하는 길에 쓰레기 버리기, 걸어가는 길에 안부 전화하기 등 관련성이 있는 행동들을 묶어서 동시에 한다. 멀티로 일하는 것은 불가능하지만 단순한 일을 동시에 하는 것은 가능하다. 따로 떼어놓고 시간을 사용하지 않고 하는 김에 할 수 있는 행동들을 묶어버려서 함께 해버린다. 어느 순간 의식적으로 이렇게 하고 있었다.

다섯째, 틈새 시간을 무시하지 말자. '~하는 김에'와 연관 지어질 수도 있겠다. 일과 일 사이, 짬짬이 틈나는 시간들이 의외로 많다. 그 시간들을 활용할 수 있는 작은 취미를 가져본다. 오디오북 듣기, 스케치하기, 핸드폰으로 유튜브 영상 편집해보기 등, 할 수 있는 일들이 무궁무진하다. 나의 경우 틈새 시간은 점심시간이다. 오전 일과를 마치고 오후 일과로 넘어가는 나른하고 집중하기 힘든 시간대다. 이른 아침에 일어나서 일과를 시작한 이유도 있을 테다. 멍하니 가만히 있는 것을 좋아하지 않는 성격이다. 가만히 있으면 오히려 병이 나는 스타일이기도 하다. 이때가 나에게는 틈새 시간이다. 짧은 시간에 할 수 있는 일들은 즐겨 한다. 글을 쓴다든지, 사진을 찍어본다든지 말이다. 이것도 쌓이면 무시할 수 없는 성과로 돌아온다.

시간은 관리만 하려고 하면 안 된다. 왜 관리하려고 하는지를 명확하게 알고 쓰임새 있게 사용해야 한다. 앞서도 이야기했지만 단순히 열심히 살려고 시간을 잘 관리하려 한다면 얼마 지나지 않아 지친다. 목표가 있는 시간 활용은 끈기를 가지고 지속하게 해준다. 그래서 먼저 목표설정을 하는 것이 중요하다. 돈도 관리만 해서는 안 되고 목표 있게 잘 사용하고 투자해야 그 가치가 빛나는 것처럼 시간도 그렇게 써야 한다. 누구에게나 공평하게 주어진 시간이 어떻게 사용되느냐에 따라 다른 결과를 가져오게 된다. 시간은 소중하다. 누구에게나 있는 시간이 나에게 가치 있는 것이 되려면 소중하게 잘 써야 한다.

인생은 선택과 책임의 연속이다

인생은 선택과 책임의 연속이다.
누구나 성공하는 삶을 살기 위해 노력한다. 대학을 졸업한 이후에도 공부를 놓을 수가 없다. 몇 년 배운 학업으로 평생을 벌어먹고 사는 시대는 지났다. 빠르게 변하는 트렌드를 놓치지 않으려 하루하루를 치열하게 배움에 투자하며 살아간다. 아이들만 사교육 시장에 놓여있는 것이 아니다. 어른들도 끊임없이 사적 교육을 이어간다. 넓은 의미에서 오프라인과 온라인 강의뿐만 아니라 자기계발서에 투자하는 것도 사적 교육이다.

불안한 어른의 심리를 부추기는 자극적인 광고성 문구들이 가득하다. 인스타로 월 천 버는 법, 스마트 스토어로 10억 벌기, 부동산 투자로 인생을 바꿀 수 있다, 마인드만 바꿔도 꿈꾸던 부자가 될 수 있다고 한다.

'가만히 있으면 뒤처진다. 그러니 끊임없이 배움에 투자하고 성공자를 쫓아라. 누구나 단기간에 요령을 배워 부자가 될 수 있다. 내가 그 해답을 알고 있으니, 나와 함께하자'고 유혹한다. 손 내민다. 불안한 마음을 잘도 공략한다.

상대적 박탈감 같은 것을 느낀다. sns 상에 보여지는 신흥부자들의 모습에 그들처럼 세상을 살지 않으면 잘못 살아가는 듯하여 매일같이 그들의 뒤를 추격하듯 무언가를 하고 있다. 분명 내가 가고 있는 길도 틀린 것은 아닐 텐데 말이다.

자신을 끊임없이 계발시키는 것은 잘못된 것은 아니다. 평생 배워야 한다는 신조를 가지고 있는 나로서도 최후의 시간까지 배움을 내려놓을 생각은 없다. 하지만 배움이 곧 돈벌이가 되어 가는 세태에 안타까운 마음이 든다. 즐거움을 느낄 여유조차 없이 해치우듯 해나가는 배움이 씁쓸하다.

인생에 정답이란 것이 있을까? 누구의 삶은 옳고 누군가의 삶은 그르다고 판단하는 기준이 무엇일까? 어떻게 살면 정답에 가까운 인생인지 궁금해지기 시작했다. 이런 고민은 나에게만 국한되는 것이 아닌 아이들을 키우는 방향에도 영향을 미친다.

누군가는 게임처럼 인생도 공략집이 있다고도 한다. 그 공략을 익히면 성공자의 길을 걸을 수 있다. 인생의 정답지가 있다면 평생을 헤매는 일 없이 그대로 따라가면 될 것이다. 마흔 중반이 되어서도 정답을 찾지 못해 불안에 떠는 일 따위는 더더욱 없었을 테다. 흔들리지 않는 인생이 될 것이다.

정답을 찾기 위한 여정이 계속된다. 어딘가에 존재하는 파랑새를 쫓듯 정답을 찾고 있다. 수백, 수천 권의 책을 읽고 유명 강사의 강의에 기웃대며 멘토를 찾아다닌다.

그러던 어느 날 일순간에 알아버렸다.
'정답은 없다.'
먼저 살아본 사람은 있어도 두 번 사는 사람은 없다. 타인의 인생을 평가할 수 있는 기준 따위는 없다. 사람마다 인생의 모습은 다른 것이다. 나의 기준에는 한없이 못 미치는 생활을 하는 것 같아도 그 사람은 잘살고 있다고 느낄 수 있고, 잘살고 있는 듯 보여도 불행하다고 느끼는 사람도 있다. 그러니 어떠한 평가도 주관적 견해일 뿐이다.

'인생에 정답이란 없다.'
다만 한평생은 선택의 연속일 뿐이다. 순간순간의 선택에 대한 책임을 지는 모습으로 살아가는 것이다. 조금 다른 선택을 하면서 살면 어떤가? 사람마다 성격과 자라온 환경이 다른 것만큼 인생도 다양한 모습으로 펼쳐져야 한다. 같아지려 노력하지 않아도 된다.

어떠한 길로 가더라도 후회는 남는다. 그렇다면 자신의 선택으로 책임지고 후회하는 게 낫지 않을까. 다른 사람의 기대와 모습에 부응해 남는 후회보다는 덜 할 것이다. 적어도 내가 선택한 것들에 대해서는 말이다.
'인생은 선택과 책임의 연속이다.' 결과지는 같을 수 없다. 같지 않아도 된다. 순간순간에 집중하며 최선을 다하면 된다.

멍의 재발견

멍하니 있는 시간을 싫어한다. 아니 싫어하는 정도가 아니라 혐오했다. 말이 좋아 멍이지, 아무 생각이 없이 사는 것을 증명하는 것 같이 보일 뿐이었다. 한가하고 할 일 없는 사람만이 즐기는 시간 낭비. 그렇게 생각하며 살아왔다.

이것이 마흔 전의 '멍에 대한 정의'였다.
끊임없이 채우려고만 노력했다.

마흔까지의 인생은 채움의 연속이다.
배워도 배워도 끝이 없고 채워도 채워도 성공으로 가는 길은 좁고 굽이진다. 누구에게나 펼쳐져 있는 길이지만 지나가는 사람은 극소수인 그 길을 걸어보겠노라 부단히도 채웠다.

채워도 허기지는 구멍 난 삶을 멍으로 잠시 채워봤다면 그랬다면 어땠을까? 멍은 인생의 방향을 잃지 않는 나침반이다.
마흔을 넘긴 '멍에 대한 정의'이다. 계기가 있었던 것은 아니다.
시간이 알려준 지혜다.

채움과 멍을 반복했다면 나는 지금 어떻게 되었을까?
멍한 시간을 외면하면서 숨 가쁘게 살아온 마흔의 인생은 가슴의

멍울처럼 아쉬움이 가득하다.

목표를 잃지 않고 내가 선택한 길을 가기 위해서는 생각할 시간이 필요하다. 생각을 해야 방향을 잃지 않는다. 나와의 끊임없는 대화를 통해 나의 인생을 살아야 한다. 그러기 위해서는 멍과 친해져야 한다.

수업하다 말고 멍하니 창밖을 보고 있는 아이가 있다.
잠시 방해하지 말자.

아이들에게도 의도적 멍을 때릴 수 있는 시간을 많이 주어야 한다. 생각하고 선택하고 해결할 수 있는 힘을 아이들 스스로가 터득할 수 있게 해줄 필요가 있다.

온통 부모가 짜 놓은 스케줄로 채워 넣고선 생각따윈 하지 않아도 되는 로봇을 만들고 싶지 않다. 주도적인 삶을 살기 원한다면 아이들의 멍을 존중해주어야 한다.

나의 멍도, 비어있는 구멍이 아닌, 비워낸 구멍이다.

명확한 '노'가 무책임한 '예스'보다 나을 때가 있다.

거절을 잘하는가?
나는 사실 거절에 매.우. 서툰 사람이다. 어떤 요구든 받아들이고 나서서 해결하는 것을 좋아한다.
부탁받는 것 자체가 타인으로의 인정이라고 착각한다. 그들에게 내가 필요한 존재라고 말이다. 그들만이 나의 능력을 알아보고 도움을 요청한다고 생각한다. 그런데 그게 나만의 착각이었다. 인정이 아닌 대신할 사람을 찾을 뿐이라는 것을.
책임감이 강한 성격이라는 것을 알아보고는 쉽지 않은 부탁도 쉽게 한다. 책 한 권 분량의 번역을 오렌지 한 봉지에 대신 한 적이 있는데 그때 이후로도 아무렇지 않게 번역을 맡기는데 거절하지 못해 시간과 에너지를 쏟아부은 적이 한두 번이 아니다. 그러다 보니 정작 내가 할 일을 끝내지 못한 경험도 많다. 어떨 때는 호기롭게 승낙했다가 부탁받은 일을 결국에는 해결하지 못해서 좋지 않은 인상을 남긴 적도 있다.

'NO!!!!'라는 그 한마디가 왜 그렇게 힘들까?
생각해보면 인정받고 싶어서인 것 같다. 좋은 사람이라고. 거절해서 나쁜 사람으로 낙인되는 것이 견디기 힘들었다. 미숙한 거절 자세는 가족들과 관계에서도 고스란히 보입니다. 좋은 아내, 엄마, 며느리, 딸, 언니의 역할을 소화하느라 지칠 때도 많다. 모든 일을 혼자 하고 있는 자신에 화가 난 적도 한두 번이 아니다. 그런데도 쉽게 고쳐지지 않는다.

확실하지 않은 태도와 무조건적인 승낙이 타인을 더 힘들게 하는 경우도 있다. 할 수 없는 일은 빠르게 거절을 했다면 상대도 다른 사람에게 부탁을 할 수 있는 시간을 가질 수 있다. 기한이 다 되어서 할 수 없었다는 연락을 해서 의도치 않게 곤란한 상황을 만든다. 이런 태도는 결국 신용으로 이어진다.

할 수 있는 일에만 흔쾌히 YES, 할 수 없는 일에는 명확히 NO를 해줘야 서로가 편하다. 무조건적인 수용, YES가 세상을 잘살아가는 태도는 아니다.

그렉 맥커운의 에센셜리즘이라는 책에서는 본질적인 일에 힘을 쏟는 에션셜리스트가 되기 위해 '아니오'는 일상이 되어야 한다고 한다. 저자는 실제 활용할 수 있는 거부의 방법 여덟 가지 유형을 정리해주고 있다.

1. 거부해야 할 요청이 들어오면 잠시 말을 멈추고, 셋을 센 다음 거부하라.
2. 정중하게 부드럽게 이메일로 거부의 문구를 보내라.
3. "일정을 한번 확인해보겠습니다." 생각할 여유를 가지고 비본질적인 것들에 대해서 거부 의사를 표현한다.

4. 이메일 자동응답기능의 이용 "저는 지금 새로운 책을 집필하고 있으며, 지금은 답신을 하기 어렵습니다."

5. "그럼 저의 일 가운데 무엇을 빼야 할까요?" 상사의 요청을 거부해야 하는 상황에 처한다면 이런 방법도 있다.

6. 유머의 활용, 에션셜리스트라는 소문이 나면 편하게 거부할 수 있다.

7. "당신은 X까지는 할 수 있습니다. 제가 Y까지는 해드릴게요." 상대방과 나 자신을 모두 존중하는 방법이다.

8. "제가 하기는 어렵지만, X라는 사람은 그 일에 흥미를 보일 것 같습니다."

그렉 맥커운의 거절법은 참고해 볼 만 방법이다. 거절에도 다양한 스타일이 있다는 것을 알려준다. 거절도 연습이 필요하다. 여러 상황을 경험해봐야 다양한 거절의 기술을 익히게 된다. 그리고 익숙해진ㄷ. 누구의 요청이라도 나 자신의 입장을 먼저 생각해보고 모두에게 해가 되지 않는 거절이 대책없는 '예스'보다 나을 때가 있다. 좋은 사람이 되기 위한 노력이 오히려 독이 될 때가 있다는 것을 잘 기억해야 한다.

꿈을 이루고 싶다면 지금 당장 무언가부터 시작하세요

"민서, 민성이 앞으로 꿈에 대해 이야기 한번 해 볼까?"
귀가하는 차 안에서 라디오 볼륨을 낮추며 먼저 말을 건넸다. 잠시 생각에 잠기는 듯 하더니,
먼저 큰딸이 말한다,
"저는 웹툰 작가가 꿈이에요. 최근에는 다른 꿈도 생겼는데 소설을 쓰는 작가가 되고 싶다는 생각도 해 봤어요."
"오~~그랬구나. 너는 할 수 있어. 민성이는? 민성이는 나중에 뭘 해보고 싶어?"
둘째의 답은
"저는 아직 모르겠어요."
예상했던 대답이다.
"그런데 민서야, 그럼 미래에 웹툰 작가가 되기 위해서 오늘 무엇을 할 수 있을까?"
"......................글쎄요........."
엄마의 일장연설이 시작될 차례다.
"잘 들어봐, 민서야,...."
준비하고 있었던 답이 있었던 듯 연설의 시작이다.
"예~."
"먼 미래에 되고 싶은 꿈이 있어. 그런데 그걸 그냥 되고 싶다고 소망처럼 이야기만 하고 있다면 그건 망상이야. 그런데 말이지, 만

약 네가 먼 미래에 멋진 웹툰작가가 꿈이라면 오늘 당장 작은 그림 하나씩을 그려보면 어떨까? 머리카락이나 눈동자, 손 그림이라도 말이야. 그게 쌓이면 너의 미래는 멀리 떨어진 것이 아닌 가까운 현실이 될 거야. 오늘의 모습이 미래의 모습이란 말이지, 오늘 아무것도 하지 않는데 미래에 갑자기 그러한 모습으로 짜자잔 된다는 것은 상상이 안 갈 일이지, 작가가 되겠다는 꿈도 마찬가지인 것 같아. 그런 생각을 했다면 오늘부터 하루에 한 줄씩 써보거나 다양한 소설을 읽어보는 것이 꿈으로 더 가깝게 다가가는 방법이 될 거야. 매일 한 문장씩만 쓰더라도 1년이 지나면 365문장. 하루에 다섯 문장만 써도 1825문장이네. 한 문장씩 써볼수록 작가의 꿈은 꿈이 아닌 현실이 될 거야."

꿈을 이루고 싶다면 오늘 당장 할 수 있는 일부터 작게 생각해봐야 한다. 거창한 계획 따위는 필요 없다. 훗날 거창해지기 위해서는 현재 작은 시작이 필요하다. 작은 것이 모이고 모여 크게 될 것임에 분명하기 때문이다.

살을 빼고 싶다면 오늘 당장 밥 한 숟갈씩 덜먹으면 되고, 영어를 잘하고 싶다면 지금 당장 책을 펴고 단어 하나를 외우면 될 일이다. 무언가 크고 원대하게 하려는 포부가 사소한 계획을 가려버린다.

'천 리 길도 한 걸음부터.'

천 리를 가기 위해서는 지금 당장 내딛는 한 걸음이 있어야 한다. 너무 어렵게 너무 크게 생각하지 마라. 지금 당장 할 수 있는 작은 것부터 그냥 해보자. 아님 말고.

인생의 과정일 뿐.

길을 잃지 않았는데 길을 잃었다고 느껴질 때가 있다. 길을 잃고서도 길을 잃었다는 사실을 모를 때도 있다. 길을 잃었다고 느낄 때 걸음을 멈추고 내가 걸어왔던 길과 걸어가야 할 길을 생각해보아야 한다. 그래야 정말로 길을 잃지 않는다.

김지광 지음, <나는 어디로 가야할까?> p. 78

고집이 센 편이다. 스스로는 몰랐는데 주변인들이 그런다. 고집이 상당히 세다고. 유들유들한 성격인 듯 보이지만 한번 결정한 일은 쉽사리 바꾸지 않는다. 다른 사람의 조언도 듣기만 할 뿐 결국은 내가 선택한 일로 밀어붙인다.

고집스러움은 운전을 할 때도 보인다. 확신에 차서 들어섰던 길이 잘못된 길이라는 것을 알아차리는 순간이 있다. 동승한 사람은 유턴을 하자고 재촉한다. 그런데도 직진만 한다. 혹시나 더 빠른 옆길, 샛길이 있을까 하는 기대감을 갖고 말이다. 나의 선택이 옳았다는 것을 끝까지 보여주고 싶은 마음이 더 컸을지도 모른다.

잘못된 길에 들어섰을 때 그것이 잘못되었다고 인정하는 과정이 다소 힘들다. 그동안 부었던 노력이 헛되었다는 것을 증명하는 것처럼 느껴져서다. 있는 그대로 허점과 실수하는 모습을 보이는데 미흡하다. 모든 일을 잘하는 사람으로 보이고 싶은 욕심이 앞서 실수를 잘 드러내 보이지 않는다.

분명 길을 잃지는 않았다. 잠시만 멈춰서 생각하면 다시 제 길을 찾을 시간은 충분하다. 그럼에도 그 멈춤이 두렵다.

20대의 멈춤은 방황, 30대의 멈춤은 실패라고 생각했다. 긴 여정의 인생길에 잠시 멈춤은 방황도 실패도 아닌 과정의 일부분인데도 말이다. 그걸 이제야 알게 된 것이다.

잠시 멈춰 목적지를 한 번 더 확인하는 시간을 가져보는 것은 큰 의미가 있다고 생각한다. 앞으로만 나아가다 보면 잘못된 길을 가고 있다는 사실조차 깨닫지 못할 수도 있다. 목적지가 확실하다면 잠시 멈춤을 해보는 시간을 가져보자. 목적지가 확실하지 않다면 출발단계에서 더 정확하게 확인하고 시동을 걸어 출발해보는 것은 어떨까.

다시 스무 살 청춘으로 돌아갈 수는 없지만 인생의 반을 달려온 중년의 지금도 늦지 않았다. 잠시 멈춰 목적지를 향해 잘 가고 있는지 확인해보는 시간은 의미있다.

넘어져 봐야 일어나는 법도 배운다.

걸음마를 배우는 아기를 본 적이 있을 것이다. 처음에는 무언가를 짚고 일어서다가 용감하게 손을 떼기 시작하는 그 순간은 감동이 밀려온다. 한 발짝, 두 발짝을 떼다가 이내 넘어지고 다시 일어나기를 수없이 반복한다. 한두 달 정도 지난 후에야 넘어지는 횟수도 서서히 줄어든다. 평균적으로 2천 번은 넘어져야 걷는 법을 제대로 배울 수 있다는 통계도 있다.
故장영희 교수님의 말씀처럼 어쩌면 신은 일어나는 법을 배우게 하기 위해 넘어뜨리는 것일지도 모르겠다.

주말 아침, 아이들과 롤러스케이트장을 간 적이 있다. 두어 번 타본 적이 있는 첫째와 둘째는 넘어지는 횟수도 줄어들어 있었다. 처음 타본 막내는 한 발짝을 움직이기가 무섭게 이내 엉덩방아를 찧는다. 그 아이에게 했던 말이 지금도 기억난다.
"민채야, 넘어지는 걸 무서워 하지마. 다치지 않게 잘 넘어지는 연습을 하자."
넘어지는 일은 두려운 일이다. 예상을 했든 못했든 맞닥뜨리는 입장에서는 두렵기 짝이 없다. 그나마 어린아이들은 넘어지면 곧잘 일어난다. 성인이 되어서는 넘어져서 아픈 것보다도 창피함에 고개를 못 든 적도 많다. 이는 우리가 삶 속에서 실패를 경험했을 때와의 모습과도 매우 닮았다. 실패가 자신의 삶을 강하게 담금질하는 것임을 알아차리면 덜 창피할까.

무언가를 시도하다 보면 그 뒤에는 항상 실패가 뒤따른다. 운 좋게 실패를 따돌리고 성공으로 가는 경우도 있지만 실패가 앞서는 경우도 있다.

그런데 여기에서 무엇보다 중요한 사실이 있다. 걷기를 시작하지 않았다면 넘어지는 일도 없었을 것이다. 즉, 아무것도 시도하지 않으면 실패를 마주할 일도 없는 것이다. 넘어짐을 두려워하면 걸음마를 마스터할 기회를 잃는다. 실패를 무서워하면 능력을 키울 기회마저도 상실하게 된다. 어쩌면 아무것도 시도하지 않는 일이 인생의 가장 큰 실패일 수도 있다.

실패는 성공의 어머니라는 말이 괜히 나온 말이 아니다. 실패를 한 후에 경험한 것과 다시 같은 실패를 겪지 않기 위해 얻게 된 지혜는 우리를 항상 곁에서 지켜주는 어머니와 같다.
실패를 실패로 남겨두지 않고 다음 스텝의 디딤돌로 삼기 위해서는 실패의 원인을 철저히 분석하고 끊임없이 연구해야 한다. 넘어졌을 때 같은 모습으로 넘어지지 않기 위해 기억하는 것처럼 말이다.

인생길에는 예상치 못한 돌부리와 웅덩이들이 많이 있다. 피할 수 있다면 좋겠지만 대부분의 사람들은 걸려 넘어지기 일쑤다. 경험보다 나은 스승은 없다. 그 자리에 돌부리가 있었다는 것을 경험해 본 사람은 두 번 넘어지지는 않을 것이다.

넘어지는 것을 두려워하지 마라. 툴툴 털고 일어나면 그만이다. 그리고 같은 자리에서 두 번 넘어지지 않도록 잘 기억하고 준비하면 된다.

실패가 만약 실을 감는 실패라면
다시 풀어서 처음부터 찬찬히 감으면 됩니다.

-생각잡스유진

최고의 삶은 그냥 주어지지 않는다.

"운이 좋았어요."

최고의 삶을 살고 있는 사람들은 늘 한결같이 말한다. 그런데 정말 그들은 단순히 운이 좋았기에 원하는 삶을 그려나가고 있는 것일까? 그들은 땀으로 쌓은 것들은 운이라고 이야기한다. 우리가 믿어야 하는 것은 운이 아닌 땀방울이다. 땀은 절대로 배신하지 않는다. 노력을 이기는 천재는 없다는 말도 있지 않은가.

독서모임을 함께 하고 있는 멤버들에게 한결같이 이야기하는 것이 있다. 0.1센티미터씩만 성장하자. 어제보다 조금 나은 삶을 살기 위해 지금 노력해야 한다. 어제는 과거이며 오늘은 미래를 만들 수 있다. 매일 0.1센티미터씩만 성장해도 1년 뒤에는 36.5센티미터가 큰다. 5년 뒤에는 182.5, 10년 뒤에는 무려 365센티미터나 큰다. 매일 조금씩의 힘이 이렇게나 경이로운 결과를 가져온다. 이러한 사실을 안다면 오늘 허비할 시간이 없을 것이다.

노력의 결실은 차츰 나타난다. 포기하지 않고 꾸준히만 한다면 언젠가는 열매를 맺을 날이 올 것이다. 이쯤 하면 되겠지 싶을 때 한 발짝 더 나아가 보자.

나폴레옹은 "오늘 나의 불행은 언젠가 내가 잘못 보낸 시간이 보복하는 것이다."라 했다. 오늘을 잘못 보내면 미래를 그려나가는 건 힘들다. 그래서 오늘 노력해야 한다.

사람들은 행운이 오기를 기다린다. 하지만 행운은 그냥 오지 않는다. 행운의 운은 움직일 운이다. 노력하고 움직여야 행운도 들어온다는 뜻일 것이다. 나의 땀과 노력이 더해져야 비로소 행운이 다가온다. 운이었다고 말하는 그들은 99프로 스스로 만들어낸 결과물이다. 기회를 잡는 사람들은 절대로 앉아서 기다리지 않는다.
부단히 노력하여 운의 움직임을 포착한다. 최고의 삶은 그냥 주어지는 것이 아니다.

줄 수 있는 것이 많아요

우리에게는 타인에게 줄 수 있는 것이 많다는 사실을 알고 있는가?

물질적인 것이 아니더라도 우리는 많은 것을 나눠줄 수 있다. 물질적 나눔의 삶도 동경하지만 그 전에 이미 우리가 가지고 있는 것들도 잘 쓰면 어떨까 한다. 이러한 나눔은 누구든 부담스러워하지 않으며 마다하지 않을 것이다.

첫째, 따뜻하게 바라봐 주는 눈빛
둘째, 함께 흘려줄 수 있는 눈물
셋째, 따뜻하게 안아 줄 수 있는 두 팔과 격려의 토닥임
넷째, 기쁨과 슬픔이 필요한 순간 달려가 줄 수 있는 두 다리
그리고 마지막으로 중요한 다섯째, 상대가 듣고 싶어하는 말 한마디.

이 중에서도 다섯 번째는 조금만 신경 쓰면 천 냥 빚도 갚는 위력을 지니고 있다. 말로 상처를 준 기억들을 돌이켜보면 수없이 많다. 안 해도 되는 말, 나의 관점에서 뱉어내는 평가와 조언들, 그리고 들리지는 않지만 몰래 했던 말까지 떠올려보면 그 횟수도 참으로 많다.

중학교를 다닐 때 알게 되어 대학시절까지 알고 지낸 친구가 있다. 다퉈본 적도 없고 그럭저럭 잘 지내던 친구였다. 그런데 한가지! 그 친구와 만나고 오면 이상하리만큼 기분이 좋지 않았다. 만나서 기분 좋은 사람이 있고 그렇지 않은 사람이 있는데 이 친구가 딱 그랬다. 딱히 사이가 틀어질 만한 일도 없었는데 만남이 불편했다. 그 이유를 곰곰이 생각하는 시간을 가졌다. 그 친구에게 한가지 안 좋은 버릇이 있었다.

바로 상대가 신경 쓰고 있는 점을 잘 포착해서 지적을 하는 점이다. 예를 들어 새 옷을 사 입고 온 친구에게 "너 그 색 안 받아. 왜 그런걸 입었어?", "너는 얼굴이 커서 모자를 쓰면 안 돼.", "머리 새로 한거야? 돈 아깝다."

친구 사이이기에 그 자리에서는 웃고 넘기지만 돌아오는 길에 곱씹어 보면 매우 기분 나쁜 말들이 수두룩했다. 그 친구와는 자연스레 멀어졌다. 만날 때마다 기분이 상하는 경험이 한 두 번 쌓이다 보니 만남을 피하게 되었다. 지금도 그 친구는 그대로라고 주변 친구들에게 전해 들었다. 변하는 게 쉽지는 않을 것이다.

그 친구를 보면서 늘 생각했던 점이 있다.

'안 해도 되는 말인데...', '나라면 이렇게 이야기 해줬을 텐데...'

말과 관련된 속담이나 사자성어가 많다. '가는 말이 고와야 오는 말이 곱다.', '말이 씨가 된다.', '아 다르고 어 다르다' 등등.

그만큼 예나 지금이나 말을 중요하게 생각한 듯하다.

칼에 베인 상처보다 말에 베인 상처가 더 깊고 오래간다. 스스로가 통제할 수 있는 것들은 이왕이면 잘 사용해 보면 어떨까?
할까 말까하는 말이 있다면 하지 말고, 상대에게 상처가 될 말이라면 그것도 가급적 하지 않는 편이 좋다. 조언이라고 생각하고 던진 말이 어투에 따라 상처가 될 수도 있다.

긍정적이고 상대를 기분 좋게 하는 말 한마디를 건넨다고 해서 나에게 손해될 것은 하나도 없다. 말은 돌고 돌아 결국 나에게로도 돌아온다. 내가 건넨 말 한마디가 결국에는 나를 향하는 말이 된다는 의미이다.

나 자신을 위해서라고 오늘부터 말의 습관을 바꿔보아야 한다. 이왕이면 기분 좋은 한 마디, 힘이 되는 한 마디로 사람들에게 '긍정언어의 기버'가 되어보자.
잘 생각해 보면 어렵지 않게 타인에게 줄 수 있는 것이 참으로 많다.

입은 사람을 상하게 하는 도끼요.
말은 혀를 베는 칼이니
입을 막고 혀를 깊이 감추면
몸이 어느 곳에 있어도 편안하리라.

<명심보감 언어편>

나를 바라보는 눈

중학교 도덕 시간에 처음 접한 '신독'이라는 두 글자는 내 삶의 뿌리와 같은 역할을 한다. 신독은 <대학>과 <중용>에 실려있는 말로 중국의 양계초는 마음을 수양하는 방법으로 신독을 제안했다고 한다.

혼자 있을 때도 조심한다는 의미는 말로서 타인에게 인정받기 위한 공부가 아니라 스스로의 인격의 완성을 위해 공부하는 이들에게 중요한 수양방법이 되었다.

도덕과 한문 시간에 배우는 숱한 좋은 말들 사이에서 왜 이 단어가 가슴 깊이 박혔는지는 모르겠다. 15살의 어린 나이에 마음과 행동 가짐을 바르게 하며 살자고 다짐하던 그 모습도 지금 생각하면 입가에 미소가 지어진다. 그때 당시 세상에서 이루고 싶었던 꿈이 원대했다. 바른 마음과 행실이 뒤따르지 않으면 큰 사람이 되지 못할 것이라는 믿음이 있었던 듯하다. 그 믿음 지금도 마찬가지이긴 하다.

'신독, 혼자 있더라도 도리에 어그러짐이 없도록 몸가짐을 바로 하고 언행을 삼가자.'

무엇을 하든 타인을 의식하게 된다. 그렇지 않다고 하면 순 거짓말일 것이다. 말을 하거나 글을 쓸 때도 남을 의식하기 일쑤다. 심지어 간단히 외출을 하려 해도 남들 눈을 의식해서 갖춰 입기도 한다. 아는 이 하나 없는 곳에 가서도 다른 사람의 눈을 신경 쓰느라 본질에 집중하지 못하는 경우도 있다.

반대로 지켜보는 이가 없다고 생각하면 한결 마음이 가벼워진다. 무엇을 하든 어떤 옷을 걸치든 신경 쓸 일이 없을 것이다. 마음도 자세도 무장해제된다.

남들이 있거나 없거나 같은 모습을 보이는 사람은 성인(聖人)일 것이다. 성인은 알고 있다. 남의 눈보다 무서운 것이 나를 향한 눈이라는 사실을 말이다. 다른 사람이 지켜보고 있지 않더라도 나의 눈은 항상 나를 향하고 있다. 아무도 모를 것이라고 생각하지만 어떤 일이든 나부터 알게 된다.

오랫동안 꿈꿔왔던 모습이 어쩌면 성인의 모습인 듯하다. 가끔은 꿈이 무엇이냐고 묻는 사람들에게 우스갯소리로

"공자같은 사람이 되는 것이 꿈입니다. 가르치려 들지 않고 몸소 행동으로 보이는 삶 말입니다. 어느덧 뒤돌아보았더니 제 뒤에 저를 따르는 제자들이 많이 있는 모습, 상상만 해도 즐겁습니다." 웃으며 이야기하지만 이 말은 진심이다.

그래서 오늘도 나에게 내 신이 선생이며 타인의 눈이다.

인정 받아본 기억, 나를 버티게 하는 힘

"막내는 좀 다른 것 같아."

"그치?? 오빠가 봐도 그렇지?"

"어, 좀 독특해."

"그래서 말인데, 막내는 그냥 막 키워보자. 그러니깐 내 말은 멋대로 크도록 놔두자고. 그러니깐 그게...말이 이상한데..내 말은 자유롭게 크도록 어딘가에 가두지 말자고!"

"좀 쉽게 얘기해봐."

"학원같은데 보내지 말고, 자유롭게 자라게 해주자고요. 학교나 학원에 가두고 성적을 매기고 평가를 받기 시작하면 막내의 창의력은 사라질 것 같아."

"에이~~~~~~, 그래도 누군가한테 배움이 있어야 그 창의력도 키울 수 있지. 알아봐 주는 누군가가 있어야 한다고 생각해."

"그래...그것도 그렇긴 하네. 어느 정도 경지에 오르기 전까진 멘토가 필요하긴 하지. 그래도 난 막내가 자유롭게 원하는 걸 맘껏 표현하고 살아가는 아이가 되었으면 좋겠다."

인정을 가장 많이 받아본 기억이 언제인가? 아마 지금 막내의 나이인 영유아기가 아닐까 생각된다. 무엇을 하든 잘한다고 칭찬을 받던 그런 시기가 누구에게나 있다.

오늘은 막내가 색조합도 낯선 낙서같은 그림을 한 장 그려와서

액자에 넣어달라는데 그 자신감이 마치 솜씨 뛰어난 화가를 보는 듯했다. 혹시나 이 아이가 나중에 유명해지면 값어치가 올라갈지도 모르니 고이 간직해둬야겠다는 생각마저 든다.

막내는 자신이 천재라고 생각한다. 무엇을 하든 주변 사람들이 잘한다고만 한다. 그래서 그림 그리기나 춤추기, 노래 부르기에 조금의 망설임도 없다. 평가 자체를 받지 않아서 그런 듯하다. 늘 인정받는 존재다. 그래서 그 아이는 두려움 없이 뭐든 시작한다. 실패했는지 성공했는지 여부는 중요하지 않다. 그냥 그 자체를 즐기며 계속한다.

그에 반해 초등 6학년과 5학년이 된 첫째와 둘째는 무언가를 시작하기 전에 망설이는 모습을 보인다. 학령기가 되어 자신이 한 것들에 대해 평가받기 시작한 지 몇 해를 거듭한 아이들이다. 비교되고 평가도 받고 틀렸다고 지적도 받았을 것이다. 집에서도 학교에서도 그리고 학원에서도.

영유아기에는 무엇을 하든 응원하는 사람들이 가득했는데 청소년기, 성인이 되면서 성적이 매겨지고 평가받는 일이 자주 일어난다. 누군가가 만들어 놓은 기준에서 그에 미치지 못하면 실패다. 실패의 경험은 도전을 하는데 가림막이 되곤 한다.

지속하는 힘은 어떻게 보면 언젠가 힘이 되었던 인정 받아 본 기억에서 나온다. 누군가의 인정의 말 한마디가 그 사람을 다시 일어나게 할 수 있다.

대학을 졸업하고 인생이 생각만큼 쉽게 풀려나가지 않는다고 생각되어질 때가 있었다. 다른 친구들은 모두 잘 나가는데 나 혼자 낙오자가 된 것 같았던 이십 대 후반의 어느 날이었다. 한 후배가 오랜만에 찾아왔습니다. 저녁 식사를 하고 이야기를 나누는데 후배가 말한다.

"선배는 진짜 큰 인물이 될 것 같아요."

그 한마디가 지금까지 나를 지속하게 만들어 주는 힘이다. 조금 늦더라도 언젠가는 잘 될 거라는 믿음이 생긴 순간이다. 후배에게 그 당시에는 손사래를 치며 고마운 내색을 못 했지만 지금도 많이 고맙다. 나를 그렇게 인정해줘서.

기억을 더듬어보면 여러분들도 그런 기억이 있을 겁니다.

누군가가 당신에게,

"너 참 잘하는구나. 대단해."

"넌 할 수 있어."

"너니깐 가능한 일이야."

"넌 위대해."

"넌 잘 될 거야."

"넌, 참 괜찮은 사람이야."

이렇게 좋은 말들을 여러분들은 가장 사랑하고 소중한 사람들에게 자주 해주고 있는가?그들이 계속해서 나아갈 수 있는 힘, 다시 해낼 수 있는 힘을 주고 있는지 오늘 한 번쯤 돌이켜 생각해보는 시간을 가져보자.

삶은 달걀이 아닌, 지구다.

모든 일에는 끝이 있다고 생각했다. 어려운 시기를 겪을 때, 인생이 끝났다고 느끼고, 반대로 기쁜 일이 생겼을 때는 불행이 끝났다고 생각하며 기뻐했다. 이는 지구가 네모라고 믿었던 오래전 사람들처럼, 우리 역시 삶에 분명한 끝이 있다고 믿는 것과 비슷하다. 지구는 둥글다는 사실을 발견한 탐험가들처럼 우리도 살아가다 종종 진실과 마주칠 때가 있다. 그중 하나가 '삶에 끝이란 없다.'다.

목표를 세우고 그것을 달성했을 때, 우리는 그것이 끝이라고 착각할 때가 있다. 끝은 새로운 시작을 말한다. 마흔이 되어서야 깨달은 것처럼, 삶의 모든 순간순간은 연속적이며 서로 연결되어 있다. 슬픔이나 기쁨이 영원할 것 같지만, 그것들도 삶의 한 장면일 뿐이다. 끝이라는 구분 지어놓은 그 선을 그저 지나간다.

끝이라고 생각되는 순간도 사실은 새로운 시작이거나 변화의 일부라는 말이다. 그러니 너무 슬퍼하지도 좌절하지 않는 삶을 살았으면 한다. 그저 둥근 지구를 뚜벅뚜벅 걸어 나가듯 삶도 그렇게 걸어 나갔으면 합니다.

그냥 먹기만 한 나이가 아니다.

시간의 바람에 몸을 싣고, 끊임없이 달려온 삶의 여정 속에서 잠시 멈춰 서 보니, 나는 이미 마흔여섯 해라는 시간의 강을 건너고 있었다. 인생이 이토록 가파르고 도전적인 여행일 줄 알았다면, 나는 분명 그 길 위에서 잠시 숨을 고르며, 꽃피는 계절의 아름다움을 느끼며 여유를 가져봤을 것이다.

항상 조금만 더 가면, 조금만 더 오르면 그렇게 갈망하던 인생의 정상이 보일 것만 같았다. 그러나 그 길은 예상치 못한 굽이와 가파른 오르막, 때로는 내리막길로 이루어져 있었다. 산 정상에서 아래를 내려다보며 평온을 느낄 날을 꿈꾸며 걷고 또 걸었지만, 그 정상은 언제나 손에 잡힐 듯 멀기만 했다. 나는 지치지 않고, 때로는 헐떡이며 산 중턱까지 올라왔다. 숨이 차다.

그런데도, 괜찮다고 스스로에게 말해본다. 뒤처지더라도, 실패하더라도, 그 모든 순간들은 인생이라는 드라마의 일부일 뿐. 누군가 젊은 날의 나에게 이러한 인생의 진리를 가르쳐주었다면, 슬픔에 잠겨 있던 날들, 자신을 탓하며 보낸 시간들이 훨씬 줄어들었을 것이다. 인생은 기쁨과 슬픔, 실패와 성공, 도약과 좌절이 서로 얽혀 있다는 것을 이제야 이해한다. 번아웃이라고 생각했던 그 순간들이 사실은 성장과 숙성의 과정이었다는 것을 누군가 나에게 일러주었다면, 나는 그토록 슬퍼하지 않았을 것이다. 그 모든 경험은 삶을 풍요롭게 하는 귀중한 부분임을 이제는 안다. 그래도 나이만 먹어온 것은 아닌가 보다. 세상 돌아가는 이치를 서서히 깨달아가는 것을 보니.

두려움과 불확실성 속에서도 굳건히 나아갈 수 있을 힘만 있다면, 정상이 조금 멀리 있다 해도 그 시간을 즐기며 갈 수 있다.
지금의 나는.
그 모든 순간은 우리가 쓰는 이야기의 한 페이지가 된다는 것을 알기에.

시간은 강물처럼 흘러간다.

우리에게 주어진 시간은 한 방향으로만 흘러가는 강물과 같다. 흘러가는 것이지 결코 우리 쪽으로 되돌아오는 법이 없다. 이 사실을 깨달았을 때, 우리는 시간의 소중함을 더욱 절실히 느낀다. 한 번 흘려보낸 시간은 결코 다시 찾을 수 없다.

우리는, 실컷 배우고 경험해야 한다. 배움에는 끝이 없으며, 우리가 살아가면서 마주치는 모든 순간들이 소중한 교훈이 된다. 젊음은 잠시 머무른다. 그 짧은 시간 동안 세상을 향한 호기심을 갖고 배우는 마음으로 살아가야 한다.

단순한 지식의 축적을 위한 것이 아닙니다. 때로 실패하고 넘어질 수도 있는 순간에 회복할 수 있는 힘을 갖게 해 준다. 젊음이라는 자산은 도전, 실험, 성장이 어울린다.

젊음(시간)을 보내는 방식은 각자 다르다. 중요한 것은, 우리가 어떤 방식으로 시간을 보내든 그 시간들이 우리에게 의미 있고 가치 있는 것이어야 한다는 것이다.
시간은 되돌릴 수 없다.

인생의 주인이 되되, 주인공은 되지 말자.

인생에서 주인으로 살아가려는 마음가짐은 중요하다. 삶의 주인이 된다는 것은 자신의 삶을 스스로 결정하고 주도해 나가는 태도다. 어떻게 보면 두 단어가 비슷한 의미로 보이지만 이것을 조금만 틀어서 생각해보았으면 한다. 인생의 주인은 되되, 주인공이라는 생각은 하지 않고 살기로 말이다. 주인과 주인공은 한 글자 차이지만 인생을 대하는 태도에는 다소 차이를 보인다.
두 개념을 구분하며, 차이에 대해 정리해 보고 싶다.

"인생의 주인"이 되는 것은 자신의 삶을 스스로 결정하고 주도하는 태도다. "주인공"으로 살아가려 하면 남의 시선을 의식하게 된다. 주인은 자신의 인생을 적극적으로 이끄는 것에 초점을 두고, 주인공은 타인의 관점과 기대에 맞추는 경향이 있다. 이에 인생을 살아가는 데 있어 주인은 되되, 주인공은 아닌 태도로 살아보자는 것을 말하고 싶었다.

사소해 보일 수 있지만, 인생을 대하는 이러한 태도의 차이는 우리 삶에 영향을 미친다. 인생의 주인이 되는 것은 자신의 가치와 목표에 집중하며, 자신이 원하는 방향으로 삶을 이끌 수 있는 독립성을 의미한다. 이는 자신의 삶을 주도적으로 만들어나가는 데 필요한 힘을 준다.

주인공이 되고자 하는 마음가짐은 타인의 기대와 사회적 위치에 의해 좌우되기 쉽다. 이는 타인의 시선에 대한 지나친 의식으로 인해, 우리가 진정으로 원하는 길을 나아가는 데 주저하게 된다. 외부의 기대와 평가에 휘둘리게 되면, 결국 자신만의 나다운 목표를 잊고 자신이 추구하는 삶의 방향에서 다른 길을 가게 될 수도 있다.

인생의 주인이 되는 것은 타인의 기대와 시선을 넘어서는 일이다. 우리 각자는 자신만의 개성적인 경험과 가치를 가지고 있으며, 이를 바탕으로 삶을 주도해 나갈 수 있다. 이것이 주인공인 삶보다는 주인의 삶을 살아가자는 의미다.

어떤 사람으로 살아갈 것인가?
- 마흔에 읽는 쇼펜하우어를 읽고

쇼펜하우어를 읽으면서, 마흔이라는 나이에 삶을 어떻게 살아야 할지 생각해보는 시간을 갖는다. 이런 생각들로 하루하루를 채워나간다. 쇼펜하우어는 삶의 의미와 행복에 대해 깊게 생각하게 만드는데, 그의 글을 읽고 있으니 세월이 흘러도 변하지 않는 불변의 진리가 있다는 생각이 든다.

독일 철학자 쇼펜하우어는 삶의 고뇌와 행복에 대한 통찰을 보여준다. 지금 읽어도 괴리감이 없는 그의 글은 내면 깊이 깨달음이 있었음에 틀림없다. 쇼펜하우어의 철학을 바탕으로, 40대의 우리가 어떤 사람으로 살아야 하는지에 대해 함께 고민해 보면 좋을 것 같다.

첫째, 쇼펜하우어는 인간의 욕망이 고통의 근원이라고 말한다. 우리는 수많은 욕망과 목표를 가지고 지금까지 달려왔다 그런데 이 모든 것들이 행복의 필수 조건이 아니라는 것을 깨닫게 된다. 오히려 이 욕망들이 우리를 지치게 하고 때로는 좌절감을 가져다 주기도 한다. 욕망을 자신에 맞게 조절하고, 지금의 삶에 만족감을 느끼며 살아가는 것이 중요하다. 그렇다고 목표를 낮게 잡으라는 말은 아니니 오해 없길 바란다.

둘째, 쇼펜하우어는 자신의 삶을 살 것을 강조한다. 마흔을 넘긴 사람들은 모두 공감하는 말일 것이다. 타인의 기준에 맞춰 살아온 나를 돌아보는 시기다. 어느 정도의 사회적 위치에 와보니, 진짜 나는 없고 사회적 인물의 나만이 보인다. 앞으로의 삶은 자신만의 가치와 신념에 따라 이끌어가는 것이 중요하겠다고 느끼고 있다. 마흔이라는 나이는 자신만의 삶을 실현하기에 충분한 경험과 혜안을 갖춘 시기다. 자신을 믿고, 자신의 길을 걸어가 보길.

셋째, 쇼펜하우어는 고통과 어려움을 통해 성장한다고 말한다. 삶은 늘 순탄한 길은 아니다. 늘 어려움이 따른다. 그런데 우리는 잘 알고 있다. 이런 어려움도 자신을 더 단단하게 만들어준다. 마흔의 나이에 우리가 직면하는 어려움들을 긍정적으로 성장의 기회로 삼아야 한다. 그걸 조금만 더 일찍 알았으면 하는 아쉬움도 남지만, 지금이라도 알게 되어 다행이다.

마지막으로, 쇼펜하우어는 인간관계의 중요성을 강조한다. 인생의 후반기에 접어들면서 우리는 관계의 의미에 대해 깊이 생각해보는 시간을 갖게 된다. 모든 이들과 잘 지낼 수 없음을 인정하고, 현재 나와 함께 하는 이들을 소중하게 여기는 자세를 갖게 된다. 가족, 친구, 동료와의 관계를 소중히 여기고, 이들과의 관계 속에서 삶의 의미를 찾아나가야 한다.

쇼펜하우어의 철학을 통해 마흔의 나이에 우리가 배울 수 있는 것은, 삶의 깊이를 이해하고 진정한 행복을 알아가는 방법이었다. 인생의 중반을 지나며, 우리는 외부의 기준에만 자신을 맞추려 하지 말고, 내면의 목소리에도 귀를 기울여야겠다. 진정으로 원하는 삶을 살기 위해서라도 말이다.

마흔이라는 나이는 단순히 시간의 흐름을 나타내는 숫자가 아님을 다시 한번 깨달았다. 삶을 깊이 있게 살아가는 시작점이 될 수 있다.

어쩔 수 없는 선택일지라도 올바른 방향이라면 괜찮다.

인생은 작은 선택의 연속이다. 무엇을 하든 결정하고 선택해야 행동이 뒤따른다. 다양한 선택들이 우리의 삶을 가득 채우고 있으며 만들어간다고도 할 수 있겠다. 이러한 상황들은 우리 삶에 중요한 기회를 제공하기도, 때로는 방향을 바꿀 수도 있다.

그러나 어떤 선택들은 우리가 통제할 수 없는 상황에서 이루어진다. 어쩔 수 없이 선택해야 하는 상황들이 놓이게 되는 경우가 비일비재하다.

시간이 흐르면 우리의 선택에 후회와 불안이 자주 찾아온다.
"만약 다른 선택을 했다면 더 나았을까?" 혹은 "내가 옳은 선택을 했는가?"는 의문이 끊임없이 이어진다. 이미 선택을 했다면 후회보다는 현재의 선택에 집중하자는 것은 누구나 아는 사실이지만, 실상은 그렇지 못하다.
하지만 이 글을 읽고 있는 오늘부터 이렇게 생각해보는 건 어떨까.

어쩔 수 없는 선택을 한 상황이어도 그 길이 올바른 방향이라면 그것에 집중해보자. 이는 우리가 매순간마다 겪는 불확실성과 불안을 극복하는 방법이 될 수도 있다. 우리 삶의 여정에서 각각의 선택은 결국 우리가 누구인지, 우리가 어디로 가고자 하는지를 반영

한다. 방향만 잃지 않으면 된다. 어떠한 선택을 하든, 내가 가고자 하는 방향이 올바르면 된다.

우리가 선택한 길이 최선이었는지, 또는 다른 길을 선택했더라도 결과가 같았을지는 아무도 모른다. 중요한 것은 우리가 어떠한 선택을 하든 그 속에서 배우고 성장할 수 있다는 점을 생각하면 과거의 후회보다는 현실에 집중할 수 있을 것이다.

우리는 계속해서 선택하고 행동하며 성장해 나가는 삶을 살아가야 한다. 방향을 잃지 않고, 앞으로 나아가는 삶의 태도가 중요하다. 어떤 선택을 하든, 그 선택이 우리의 삶에 의미를 부여하고 우리가 원하는 방향으로 나아갈 수 있기를 바란다.

'그 방향이 올바르다면 우리는 잘 가고 있는 것이다.'

사람은 무엇으로 사는가?

'나는 무엇을 위해 사는가? 내 삶의 의미는 무엇인가?'

마흔 다섯이라는 나이에 접어들며 제 삶의 의미는 이것이라고 결론 지은 것이 하나 있다.

'사람은 인정(認定)으로 살아간다. 인정, 그거면 된다.'

'인정'이란 단어는 존재의 근본적인 가치를 표현한다. 인간은 타인과의 관계 속에서 자신의 정체성을 발견하고, 삶의 의미를 찾는다. 타인에게 인정받고, 사랑받으며, 우리는 자신이 세상에 속해 있다는 느낌을 받는다. 이러한 인정은 우리가 살아가는 데 필수라는 생각이 든다. 그것이 살아가는 원동력이 되기도 한다. 나의 경우, 매우 그렇다.

왜 이렇게 앞만 보며 살아갈까 싶은 순간, 인정받고 싶은 욕구가 있음을 알게 되었다. 인정은 우리를 성장시키고, 삶의 여정에서 견딜 수 있는 힘을 제공한다.

여기서 한 가지 더!! 자기 인정의 중요성도 간과할 수 없다.
타인으로의 인정도 중요하지만 자신과의 약속을 지켜나가며 스스로를 인정하는 일도 중요하다. 타인에게 인정받는 일 이상으로 스스로를 인정하는 일이 상당히 의미 있다. 우리는 누군가로부터 인정받을 때 안정감을 느끼고, 자신감이 생긴다. 그러나 더 깊이 있게 생각해보면, 타인의 인정보다 중요한 것은 바로 자기 자신에 대한 인정이다. 자신의 가치를 인식하고, 자신의 모습을 있는 그대로 받아들이는 자세는, 세상 속 존재감을 느끼게 해준다.

자기 자신을 인정하는 것은 타인과의 관계에서도 긍정적인 영향을 미친다. 스스로에 대한 인정과 사랑은 타인에게도 그대로 전달된다.
결론으로 다시 돌아와서,
지금의 나는 '사람은 인정으로 살아간다.'로 삶에 의미와 가치를 부여하고 있다.

인정은 삶의 중심이다. 단순히 자아를 만족시키는 것이 아닌, 세상과 어떻게 연결되어 있는지를 보여주는 거울과 같다. 자신을 인정할 때, 우리는 자연스럽게 타인의 존재와 가치도 인정하게 된다.

우리 모두가 자신과 타인을 인정하며 살아가는 세상, 그런 세상에서 우리는 삶의 의미를 찾게 된다.

"여러분은 사람은 무엇으로 살아간다고 생각하는가?"

그냥해보자

그냥 해보자. 마음을 가볍게 하고 도전에 덤벼들면, 시작의 두려움도 가벼워진다. 시작이 두려운 이유는, 잘하고 싶은 강한 마음이 배어 있기 때문이다. 많은 일들이 그저 반복하다 보면 어느새 능숙해진다. 고수들에게 비결을 물으면 종종 '그냥 했다'는 답을 듣는다. 그것이 진리다. 재능이 없다거나 시간이 부족하다는 이유로 시작하지 못했던 일들도, 그저 계속하다 보면 언젠가는 잘하게 되는 날이 온다.

한때 공부가 싫어 체육대학 진학을 목표로 했다. 타고난 체력과 유연성으로 쉽게 될 줄 알았지만, 실제로 해보니 결코 만만치 않았다. 체육대학은 인내와 끈기가 필요한 곳이라는 것을 깨달았다. 그때, 오히려 공부가 더 쉬워 보이기 시작했다. 고2 때, 늦은 깨달음을 얻었고, 공부가 세상에서 가장 쉬운 일이라는 것을 알게 되었다. 하지만 쉽지 않았다. 책상 앞에 앉는 것조차 힘들었다. 잠자는 시간을 4시간으로 줄이고, 밥 먹는 시간을 제외하곤 계속 책상에 앉아 있었다. 낮잠도 책상에서 잤다. 6개월이 지나고 나서야 공부의 재미를 발견했다. 자세히, 오래, 깊이 보니 공부는 매력적인 영역이었다.

지금까지 해온 일 중에서, 중간 이상의 실력으로 이끌어낸 것들은 모두 '그냥 해봄'에서 비롯되었다. 핑계를 찾지 않고 계속해왔다. 아이들에게도 이야기한다. 무언가의 재미를 알기까지는 시간이 필요하다고, 공부도 재미를 알 때까지 해보라고. 참을성과 인내는 '재미'라는 열매를 가져다준다고. 예체능 학습도 재미를 알 때까지 계속해보라고 권한다. 중간중간 어려움도 있었지만, 5년이 지난 후에야 재미를 알게 된 것 같다.

무언가를 이루어가는데 시간의 축적은 필수다. 이 긴 여정에서 지루함과 피로함이 밀려올 때도, '그냥 해보자'는 마음가짐으로 꾸준히 시간을 쌓아가길 바란다. 때로는 그 길이 험난하고 지루할 수 있지만, 그 모든 순간들이 결국 큰 그림을 완성하는 데 필요한 조각들이다. 목표에 도달하기 위해선, 매일매일 작은 노력을 쌓아가는 것이 중요하다. 이 작은 노력들이 모여, 언젠가는 당신이 꿈꿔온 큰 성취로 이어진다. 그러니 힘들더라도, 지치더라도, 한 발짝씩 전진하며 시간을 쌓아가자. 그 과정 자체가 바로 성장이며, 그 길을 걷는 것 자체가 바로 성공의 일부다.

마음대로 되지 않는 인생, 미운 대로 놔둬도 그것도 인생

인생의 길은 가끔 우리의 예상과 다르게 펼쳐진다. 나만 느끼는 건 아닐 거다. 마흔을 넘긴 혹은 그렇지 않은 나이어도 인생이 마음대로 되지 않는다는 것은 진즉에 눈치챘을 것이다. 그럼에도 우리는 희망을 갖고 인생을 원하는 모습으로 그려나가기 위해 애쓰고 있다.

우리는 희망하는 대로 되길 원하고, 꿈꾸는 모습으로 나아가길 바란다. 때로는 기대와는 다른 모습으로 나타나는 인생에 가끔은 초라함과 나약함을 느낀다.

마음에 들지 않는 내 모습도 결국은 내 인생의 일부이다. 그것들이 모여 내 인생의 전체를 이루게 되고, 그 안에서 소중한 일상을 살아가고 있다.

어렸을 때부터 성공자의 모습을 꿈꾸며, 좋은 결과만을 바랐다. 성인이 되어가는 중에 그 꿈은 종종 현실의 벽에 부딪히곤 했다. 흔들림 없이 강하고 완벽하게 앞으로 나아가는 모습만 보이고 싶었지만 예상치 못한 변수들로 다른 길을 걷게 되었다. 그럴 때마다 내가 스스로를 인정하지 못하고, 자신을 책망하기도 했다. 도가 지나칠 때는 환경을 탓하기도 했다.

그러던 어느 순간, 그런 나의 모습도 나의 인생의 중요한 부분이라는 것을 알았다. 완벽하지 않은, 때로는 미운 모습의 나도 나의 일부라는 걸. 그것이 어쩌면 내가 무의식 중에 바라던 모습이었지도 모르겠다는 걸 말이다.

지금은 그렇다. 인생의 어려움과 실패, 그리고 마음에 들지 않는 모습들도 모두 나를 성장시키는 요소라는 걸 너무나도 잘 알기에 후회도 원망도 없이 지금의 모습에 집중해 본다.

마음대로 되지 않는 인생일지라도, 그것 또한 나의 소중한 인생이다. 혼자 얻은 교훈이지만 이렇게 글로 공유할 수 있어서 오늘도 행복하다. 지금의 내 모습은 마음대로 되지 않은 인생이지만, 미운 그대로도 놔둬도 괜찮은 모습이다.

제3화 바람을 만나는 순간, 내면의 힘을 깨닫다

제3화
바람을 만나는 순간, 내면의 힘을 깨닫다

익숙한 것들과의 결혼

우리는 익숙한 것들에 안정감을 느낀다.
하지만 종종 세상에 변화의 바람이 불 때마다 우리를 새로운 방향으로 밀어나게 만드는 순간들이 있다. 그런 순간들 속에서 우리는 익숙한 것들과의 결별을 꿈꾸기도 한다.

구본형 작가, <익숙한 것과의 결별>

"언제나 내가 아닌 다른 무엇이 되고 싶었던 것 같다. 하지만 나는 이제 내가 되고 싶다. 일상을 살아가면서 늘 더 좋은 존재가 될 수 있으며, 늘 더 좋은 방법이 있다고 믿는 것이다. 그리고 항상 지금의 자기 자신보다 나아지려고 애쓰다 보면, 나는 언젠가 나를 아주 좋아하게 될 것이다." 작가는 변화 앞에서 어제보다 더 나은 오늘을 만들고자 했다.

익숙함 것들에서 벗어나려는 결별 선언은 변화와 성장을 위한 첫 스텝이다. 늘 다르게 생각해보는 걸 좋아하는 내가 그냥 지나갈 일이 없다. 결별이 아닌 익숙한 것들과의 '결혼'으로 달리 생각해 보았다.

'익숙한 것과의 결혼'이라는 주제로, 익숙한 것을 완전히 포용하고 깊게 이해하며 그와 함께 성장하는 방법에 대해 말이다. 사람들은 변화를 두려워한다. 새로운 시작, 새로운 환경, 새로운 관계 등 모든 것에 있어 적응하는 과정은 항상 어려움을 동반한다. 하지만 우리가 무심코 지나친 것, 바로 그 익숙한 것들이 내게 진정한 힘과 가치를 부여할 수 있다는 사실을 깨닫게 된다면 어떨까?

우리가 일상에서 익숙하게 접하는 것들, 예컨대 오랫동안 같이 지내온 가족, 오래된 친구, 또는 길게 다니는 직장 등, 이런 것들은 우리의 삶에서 깊은 뿌리를 뻗어 있다. 이들과의 관계 속에서 우리는 수많은 감정과 경험을 얻게 된다. 익숙한 것들에게서 온전한 나의 모습이 담겨 있다.

이 모든 익숙한 것들이 바로 나 자신이다. 결혼이란 두 사람이 서로를 깊이 이해하고, 서로의 장점과 단점을 받아들여 함께 성장하는 과정이다. 마찬가지로, '익숙한 것과의 결혼'은 우리가 오랜 시간 동안 함께한 것들을 존중하고 그 속에서 자신을 발견하는 과정을 말한다. 함께해온 그 시간은 우리에게 그 무엇보다도 소중한 가치를 지니고 있다.

변화의 바람이 불 때마다 새로운 것을 향해 달려들기 전에, 잠시 주변을 돌아보자. 그리고 익숙한 것들에서 먼저 가치를 찾아보자. 그 익숙함 속에서 진정한 성장의 기회를 찾을 수 있을지도 모른다.

영향력을 미치다

영향력을 말할 때 대부분은 강력한 말 뒤에 숨겨진 힘을 연상하곤 한다. 하지만 영향력의 본질은 그렇게 노골적이지 않다. 오히려 조용하게, 묵묵히 자신의 일에 몰입하는 사람들에게서 더욱 강렬하게 느껴진다.

자신의 일에 최선을 다하며, 그 속에서 성장하는 과정은 말없이도 주변에 큰 영향을 미친다. 그렇게 살아가는 사람의 존재 자체가, 타인에게 "이렇게 살아라"라고 말하지 않아도, 그저 그들에게 길잡이가 되어 준다. 가르치려 들지 않는다.

"이렇게 해라, 저렇게 해라"는 조언이나 강요는 오히려 거부감을 일으킬 때가 많다. 사람마다의 환경과 상황, 감정이 모두 다르기에, 한 사람의 방법이 모든 사람에게 통용되는 것은 아니다. 오히려 진실된 모습으로 살아가는 사람의 모습에 자연스레 끌려가게 된다.

영향력은 말이나 화려한 행동에서 나오는 것이 아니다. 사소한 일상 속에서도 꾸준히, 성실하게 자신의 일을 하는 모습에서 더욱 강하게 빛나게 된다. 그 모습을 오래 본 사람은 자연스레 닮아간다. 그것이 영향력을 미친다고 할 수 있겠다.

자신의 일에 정진하는 모습을 통해 자연스럽게 피어나는 최후의 꽃이 영향력이라고 생각한다. 그 꽃은 눈에 띄지 않을 수도 있지만, 그 향기는 주변을 은은하게 감싸준다.

때로는 포기가 진정한 끈기를 부른다.

오랫동안 끈기는 성공의 덕목으로 여겨져 왔다. 무엇이든 참고 견디고 끝까지만 한다면 성공할 수 있다고 배웠다. 그런데 그 끈기가 가끔은 독이 될 수도 있다. 무턱대고 앞만 보고 가는 끈기는 우리를 잘못된 방향으로 끌고 가는 끈이 되기도 한다. 때로는 끈기가 아닌 포기를 할 줄 아는 용기도 필요하다.

'포기'에 대해서도 흥미로운 견해가 있다. 아마존 CEO 베이조스는 때로는 포기하는 것이 올바른 선택일 수 있다고 말한다. 그의 말의 포인트는 무턱대고 포기하는 것이 아니라, 상황을 잘 판단하고, 잘못된 방향이라고 판단될 때 용기 있게 포기하고 새로운 방향으로 나아가는 것이 중요하다는 것이다.

"끈기는 중요하다. 그러나 때로는 잘못된 길을 선택했을 때, 그 길을 포기하고 다른 길을 선택하는 것이 더 중요하다. 그것이 진정한 끈기다."

제프 베이조스는 포기에 대한 긍정적인 시각을 가지고 있으며, 올바른 판단 아래에서의 포기는 성장과 발전을 위한 중요한 단계라고 생각하고 있다. 삶의 모든 분야에서, 우리는 끈기를 발휘하기 전에 올바른 선택을 해야 함을 상기시켜 준다. 잘못된 길에서의 끈기는 우리를 더 깊은 구덩이로 빠뜨릴 수 있다. 그렇기에 우리는 항상 자신의 선택을 잘 고민하며, 때로는 용기 있게 포기하는 것도 필요하다는 것을 잊지 말아야 한다.

실망

실망, 바라는 대로 뜻하는 대로 되지 않을 때 느끼는 감정이다. 원하고 바라는 것이 없다면 실망할 일도 적을 것이다. 나이를 먹어감에 실망할 일도 그러한 감정에도 무뎌지는 것에 감사할 따름이다.

20대, 30대 삶에서 가장 힘들었던 기억은 바로 감정의 통제다. 조절되지 않는 감정에 삶이 버거웠다. 경험이 많지 않은 나이라 기쁨, 슬픔, 질투, 실망감 등에 대처할 줄 몰랐다. 어떤 감정은 한동안 헤어나올 수 없을 정도로 삶을 나락으로 떨어뜨리기도 했다.

사람은 무수히 많은 감정의 파도 속에서 항해하는 선장이다. 감정에는 반드시 흔적을 남기고 가는 것이 있다. 날카로운 바위와 같은 실망은 배가 지나가면 바닥을 긁는다. 위험한 경우에는 바닥에 구멍을 내어 심해로 가라앉게 한다.

목표에 도달하지 못해 느끼는 실망감은 그나마 회복탄력성이 낫다. 그에 비해 사람에 대한 실망은 더욱 깊고 아픈 상처를 남기곤 한다. 사람을 쉽게 믿지 못하고 마음을 나누기 힘들어지는 게 상처의 한 모습이다.

청춘은 사람에게의 기대가 크다. 사람들과 어우러져 이뤄내는 일들이 많은 시기이기 때문일 테다. 부모에게 느낀 따뜻함을 타인에게서 찾는다. 부모와 같은 사랑은 어디에도 없다는 것을 느끼는 그 순간에 첫 번째 실망감이었을 것이다. 사람에게 바라는 바가 많을수록 돌아오는 실망감은 고스란히 스스로가 감당해야 한다.

나이들에 감을 감사하게 생각하는 것 중 하나가 실망의 순간이 줄어든 것이다. 사람들의 본질을 이해하기 시작해서이다. 사람마다 그들만의 배경, 상황, 감정이 있으며, 그 모든 것이 그들의 행동에 영향을 미치는 것을 깨닫는다. 이러한 이해와 인정은 실망을 희망으로 바꾸는 큰 힘이 된다.

실망이라는 감정을 바라보는 시각의 변화가 있었는지도 모르겠다. 나이와 함께 우리는 인간의 복잡성을 이해하게 된다. 노련한 선장도 바위가 없는 곳만을 골라서 다닐 수만은 없다. 항해 중 마주치는 바위를 경험과 지혜를 통해 피해 가는 방법을 알게 된다.

40대의 실망은, 이해와 포용으로 승화되기도 한다. 다양한 사람들과의 경험이 실망을 희망으로 바꿀 수 있는 힘을 만들어준다.

비교(比較), 비(飛)

불행의 시작은 비교다.
삶 속에서 우리는 자신을 다른 사람과 비교한다. 비교적 자주. 비교라는 단어의 '비(比')라는 한자를 보면 두 자루의 검이 꽂혀있는 모습이다. 하나는 나에게, 다른 하나는 다른 사람에게 향하고 있다. 이것은 비교를 통해 자신과 타인 모두를 상처 입히는 상황을 잘 보여 준다. 비교는 남을 향한 눈이 결국 자신을 상처입히는 과정과 같다.

물론, 비교라는 행위를 본성이며 살아가는 삶 속에서 필수적인 성향이라고 주장하는 이들도 있다. 주변 사람들보다 우월한 감정을 바탕으로 더 나아가려고 하는 원동력이 된다고도 한다. 일부 맞는 말이기도 하지만 이것이 한없이 자신을 나락으로 떨어뜨릴 수 있는 위험성도 가지고 있다는 것을 알아야 한다.

비교라는 감정을 자세히 들여다보면 한쪽은 부러움, 다른 한편은 질투의 모습으로 두 얼굴을 가지고 있다. 부러움은 어떤 면에서 자신의 노력을 부추기는 원동력이 되지만, 질투는 다른 사람이 가진 것을 잃기 바라는 부정적인 감정이 되기도 한다.

우리는 이러한 비교의 긍정적인 면과 부정적인 면을 균형 있게 이해하고, 그것을 어떻게 다루느냐에 따라 우리의 삶이 어떻게 변하는지를 알아야 한다. 부러움이나 질투 같은 감정이 우리를 더나은 사람으로 만들어 주는 동력이 될 수 있다는 것을 알고 잘 이용해야한다. 비교라는 검을 자신을 성장하게 만드는 도구로 바꿔보는 것이다.

'비(比)'라는 한자를 비상하다, 날다의 비(飛)로 바라보게 되면, 우리의 시각이 바뀐다. 이렇게 보면, 다른 사람의 모습을 보며 배우려는 겸손한 마음이 생긴다. 이렇게 마음을 낮춘 사람은 다른 사람과 자신을 비교하는 것이 본질적으로 무의미하다는 것을 알게 된다. 우리 모두는 개별적이고 고유하다. 그래서 다른 사람과 비슷하거나 다른 점을 찾으려고 할 때, 그 모습은 조금 우스워지는 것이다.

즉 '비교'와 '비상' 사이에서 우리 자신을 발견하는 여정일지도 모른다. 비교를 통해 다른 사람과 경쟁하고, 스스로를 상처 입히는 대신, 다른 사람을 통해 겸손하게 바라보고 배우는 자세를 가져보는 것은 어떨까? 우리가 성장하고 발전하는 데 도움이 될 것이다. 이것이 비교를 통해 불행이 아닌 긍정적인 방향으로 활용하는 방법이 된다.

외로움

자발적 고독을 즐기는 편이지만 가끔은 외로움이 사무칠 정도로 올라올 때가 있다. 남편이 있고, 아이가 있어서 외롭지 않은 것은 아니다. 외로움은 늘 잠재해 있다. 누구로부터 채워지는 것이 아니라 내 안에서 채워나가야 그나마 덜 탄다.

나를 바라보는 시간이 늘어나면 외로움은 저 멀리서 나를 지켜보고 있다. 그러다 나를 잊고 지내는 시간에 잠식당하면 어느덧 내가 외로움을 쳐다보고 있다.

외로움이 처절하다 싶을 정도로 한 번에 밀려 왔던 기억이 있다. 19년 인생을 가족 울타리와 친구들 사이에서 살다 나 홀로 외딴 도시에 떨어졌을 때. 외로움에 못 이겨 환하게 불까지 켜놓고서는 그렇게도 울었다.

그리고 외로움과 직면한 지 1년 정도가 지난 후 일본으로 떠났다. 그때 두 번째 마주한 내 안의 외로움은 의외로 덤덤했다. 1년간 많은 연습이 되었던가 보다.

내 삶은 고요하지 않다. 그래서 난 늘 외향적 성향이라고 착각하고 살아왔다. 그런데 외로움을 마주한 나는 매우 내성적인 성향이 있음을 알아차렸다.

알아차림 후에는 의도적 외로움을 선택했다.

몸서리날 정도로 외롭지만 견딘 이후에 오는 희열같은 것도 경험했다. 그때의 연습은 결혼 이후에 찾아오는 알 수 없는 외로움도 스스로 잘 견딜 수 있게 해준다.

사는 게 힘들고 바빠서 외로움 따위를 생각할 겨를이 없는 것이 아니다. 내가 외로움을 먼저 보기 전에 외로움이 나를 먼 곳에서 가만히 그 자리서 응시하게 내버려 둔다. 언젠가 이 또한 지나갈 것을 알기에.

타인에게 보내는 따뜻한 시선은 어쩌면 나를 위한 일일지도.

주말 아침은 여느 평일보다도 바쁘다. 엄마와 함께한 시간이 부족하다는 이유로 아이들에게 무언가를 해주어야겠다는 의무감이 앞서는 날이다. 이른 새벽부터 일어나 함께 하고 싶은 일들을 계획한다.

몇 주전 지인이 알려준 송도 세계문자박물관에 가면 좋겠다는 생각이 스쳤다. 거리와 입장료, 주변 볼거리를 검색한다. 무료입장이라는 문구가 반갑다. 아이가 셋이다 보니 입장료가 부담스러운

전시도 종종있다.

50분의 거리를 달려 오전 10시 30분쯤 도착했다. 10시 개장의 박물관은 조용하다. 우리가 첫 손님인 것 같기도 하다. 안내데스크의 직원들의 시선이 일제히 우릴 향했다. 천방지축 삼 남매는 각자 하고 싶은 말을 하기 시작한다. 한 아이가 한마디씩만 해도 듣는 사람은 나 혼자여서 몇 마디만 오고 가면 머리와 귀가 아프다. 한창 말하기 좋아하는 나이인 일곱 살의 막내는 종일 재잘거린다. 입장객이 없는 조용한 전시관과 박물관은 가끔 부담스럽다.

1층의 기획전시를 먼저 보고 지하의 상설전시로 내려가기로 했다. '문자와 삽화-알브레히트 뒤러의 판화를 만나다'라는 특별전시가 있었다. 삽화는 글의 내용을 쉽게 전달하기 위해 그린 그림으로 종교적인 내용을 담은 책에서 먼저 시작하였다고 한다. 종교와 문자는 깊은 관련이 있다. 종교로 인해 문자의 발달, 인쇄술의 발달에 박차를 가했다고 할 수 있다. 1층 전시장에 그림과 종교와 문자를 전시해둔 이유, 그리고 종교적 자료들을 배치해 둔 데는 이유가 있는 것이다.

문자와 종교의 관계는 인류 역사 속에서 두드러진 현상 중 하나다. 종교적 신념과 가르침의 보급을 위해 문자가 발전했으며, 인쇄술의 진보에도 큰 영향을 미쳤다. 이러한 관계성은 여러 역사적 사례를 통해 명확히 드러난다. 성경의 대중화는 문자 해독 능력의 향상과 함께 인쇄술의 발전을 가져왔으며, 이는 르네상스와 종교 개혁의 중요한 배경이 된다.

종교적 문서의 기록, 보존, 전파를 위한 수단으로서 문자와 인쇄술은 인류 문명에 지대한 영향을 미쳤다.

지하상설전시실로 가면 '세계문자와 인류 문명의 위대한 여정'이라는 주제로 쐐기문자, 이집트문자, 한자, 한글 등 문자 55종의 유물과 디지털 이미지를 통해 문자의 역사를 보여준다. 9개의 주요 나라의 언어로 제공되는 것이 눈에 띈다. 특히나 이집트 피라미드 형태의 전시관 내부를 체험해 볼 수 있어서 아이들이 무척 좋아했다. 내부 전시물들은 잘 정돈되어있고 관람하기 편안한 동선이었다.

둘째 아이가 한곳에 머물러 눈을 떼지 못한다. 무엇인가 싶어 다가가서 보니, 맹인들을 위한 점자, '훈맹정음'의 전시였다. 세종대왕의 훈민정음, 백성을 위한 한글에서 따온 이름으로 맹인들을 위한 '훈맹정음'은 자음과 모음을 점자로 만들어 놓은 것이었다. 훈맹정음의 기원, 박두성 선생의 친필로 쓴 점자의 필요성은 한참을 들여다보며 생각할 시간을 갖게 해주었다. 타인을 향한 깊은 이해와 배려의 표현이 '훈맹정음'으로 탄생한 것이다.

훈민정음은 세종대왕이 백성들의 삶을 이해하고 그들의 의사소통을 보다 쉽게 만들고자 창제한 문자다. 모든 백성이 평등하게 배움의 기회를 가지고 글로 자신의 생각과 감정을 자유롭게 표현했으면 하는 애민의 마음이 바탕이 된 결과다. 세종대와의 따뜻한 시선에서 비롯되었다고도 할 수 있겠다.

마찬가지로, 박두성 선생님이 개발한 훈맹정음도 따뜻한 시선이다. 보통 사람들에게 훈민정음이 있다면, 시각 장애인들에게는 훈맹정음이 있어서 의사소통이 가능하다.

"눈이 보이지 않으면 마음이 닫히고 세상도 닫히고 맙니다."

박두성 선생은 말한다. 자신은 좋은 일이라고 해서 한 것이 아니고, 필요한 것을 하느라고 한평생 지나온 것일 뿐이라고.

나 이외의 다른 사람들에 대한 깊은 이해와 애정이 없었다면 불가능한 일이었을 겁니다. 그저 필요한 일을 한 것뿐이라고 말하는 박두성 선생의 뜻이 나에게 잘 전해졌다.

타인을 향한 깊은 이해와 공감은 어떠한 형태로선 선순환되어 돌아온다. 세종대왕의 뜻이 박두성 선생에게, 그것이 지금의 우리에게 와닿은 것처럼 말이다.

박두성 선생님의 겸손의 말처럼 우리가 타인을 위해 하는 일은 어쩌면 나, 너, 우리를 위한 일이 될 수도 있다. 우리가 함께 살아가는 세상을 좀 더 밝은 곳으로 데려다줄 힘이다.

당연하다고 생각되어지는 당연함

살다 보면 당연하게 생각되어지는 것들이 참 많다.
당연히 이루어지는 것들에 대한 고마움을 잊고 지낸지 오래다.
나부터.

어느날 그 당연한 것들에 문제가 생기기 시작하면 불평불만이 나온다.도대체 왜 나에게 이런 일이 하면서 말이다. 그런데 잘 생각해보면 세상에는 당연한 것들이 하나도 없었다. 당연히 없었다,

당연하다고 생각되어지는 것들은 어쩌면 누군가의 애씀이다.
누군가는 그 당연한 것들을 지키기 위해 조용히 애쓰고 있다는 것을..
당연하게 여겨지는 것들을 소리없이 지탱하고 있는 누군가가 있다는 것을 겉만 보면 모른다.

당연한 것들이라 여겨지는 모든 것에 감사함을 느끼는 하루가 되어보길.

갈림길

갈림길, 못 가본 길이 더 아름답다.
어느 길을 가야 후회하지 않을까.
어쩌면 인생은 매 순간 갈림길의 연속일 것이다.
우리는 살아가는 동안 수많은 갈림길에 놓이게 된다. 이것은 삶의 한 부분이라고 할 수 있다. 갈림길 앞에 서면 깊은 고민에 빠지기도 하고 걱정과 두려움이 밀려오기도 한다. 상상력을 펼쳐 길에 들어섰을 때의 모습을 예상해 보지만 예상은 어디까지나 예상이다. 앞날을 내다볼 눈은 누구에게도 없다. 멀리 보아봤자 고작 몇십 미터에 불과하다.

갈림길 앞에서는 누군가의 조언이 그렇게도 절실하다.
먼저 가본 사람의 조언이라면 더욱 값지다.
"이 길로 가라."
딱 잘라서 결정해주는 사람이 있었으면 하는 마음이 들 때도 있다.
선택과 책임을 잠시나마 회피하고 싶어하는 심리에서 일 거다.

그럼에도 사람들은 자신의 선택권을 소중히 생각한다. 이리저리 조언을 얻어도 결국은 자신의 마음이 시키는 대로 움직인다. 당연한 것이다. 조언은 조언대로 듣되 결정은 주체적으로 해야 한다. 혹여나 다른 사람의 조언을 듣고 선택을 해서 실패를 경험하더라도 그 책임은 본인이 질 수 있어야 한다.

주말 가족 모임 자리에서 왜 지금의 배우자를 선택하게 되었는가에 대해 이야기를 나눴다. 결혼이라는 인생의 대사를 가벼운 선택으로 지금까지 오진 않았을 것이다. 분명 그때는 최선의 선택이었다. 지금까지의 선택을 가볍게 하지 않았듯 말이다.

사실 가끔 후회가 일거나 할 때도 있다. '만약'이라는 상상의 약을 먹고 다른 길을 가보았다면 어땠을까 하는 생각을 해보기도 한다.

그랬다면 더 행복했을까? 다른 사람이었다면 지금의 내 모습이 더 나아졌을까? 하고.

가보지 못한 길에 대한 동경은
박완서 선생님의 말씀처럼 어쩌면 못 가본 길이기에 더 아름다운 것일지도 모르겠다.

롸잇나우, 지금 당장!

인생에 변화를 주고 싶다면 지금 당장 외쳐라.

"롸잇나우~!!"

인생에서 가장 중요한 것은 '롸잇나우'다.

이따가, 나중에, 내일이라는 말이 아닌 지금 당장을 습관화해보아라. 꾸물거리지 않고 지금 당장 실행에 옮기는 것이 얼마나 중요한지를 느껴보시길 바란다.

삶에서 무언가를 선택을 할 때, 망설이게 된다. 대부분의 사람들이 그렇다. 인생은 선택의 연속이며 망설임의 연속이라고도 할 수 있다. 막연한 두려움이나 불확실성 때문이다. 그러나, 궁극적으로 우리가 선택하는 것은 우리의 미래다. 언제나 불확실한 것이 있고 두려움이 따른다. 하지만 선택하지 않으면 결과도 없다. 아무것도 하지 않으면 아무 일도 일어나지 않는다는 말처럼 말이다.

우리는 삶에서 시간이 한정적이라는 것을 항상 인식해야 한다. 지금 당장 시작하지 않으면, 내일은 더 적은 시간이 남게 된다. 그리고 오늘 하지 않은 일은 내일 두 배로 해야 할 일로 남는다.

바로 해보기, 롸잇나우가 익숙해지면 고민의 시간도 줄어든다.

그렇다고 선택이 가벼이 되거나 실수가 잦아지는 것은 아니다. 고민을 며칠 더 미룬다고 반드시 더 나은 선택을 할 수 있다는 것도 아니다.

설령 잘못된 선택을 하더라도 실패를 통해 배우고 성장할 수 있는 기회가 있다. 우리는 하고 싶은 일이 있을 때는 꾸물거리지 않고, 두려움을 이겨내고 바로 시작해보는 자세가 필요하다고 생각된다. 지금 이순간이 가장 좋은 타이밍일 때가 많다.

지금 이순간, 바로 시작해보자. 그리고 실패를 너무 두려워하지 말자. 또 다른 기회를 가져다줄 수 있다.

깨달음

많이 아는 사람이 되려고 노력하기보다는 많이 느끼는 사람이 되려고 노력해라. 많이 느끼는 사람이 되려고 노력하기보다는 많이 깨닫는 사람이 되려고 노력하라.

이외수, <하악하악>

어쩜 최근에 깨들은 내 생각을 그대로 옮겨둔 듯한 글귀다. 젊은 시절에는 하나라도 더 알려고 안달복달이었다. 조금이라도 더 알아야 치열한 경쟁에서 살아남을 수 있을 것 같았다. 우깃우깃 우겨넣듯 머릿속에 자격증 과정이며 어학이며 지식 물줄기를 들이대기 바빴다.

많이 아는 것은 중요하지만, 그것만으로는 삶을 풍요롭게 채우기에는 충분하지 않았다. 아는 것도 중요하지만 사람 냄새나는 공감의 능력도 중요하다는 것을 알았다. 느낀다는 것은 마음에 와닿는다는 것일 거다. 마음에 와닿았다는 것은 주변을 관찰하는 눈을 가졌다는 의미다. 그것은 여유다.

결혼 후 마음의 안정을 찾고 나서부터는 주변을 관찰하는 여유가 생겼다. 그 여유는 마음에 와닿는 순간들을 쌓아주었다. 많은 것을 느끼는 사람은 자연스레 주변 사람과도 연결된다. 사람과의 관계 속에서는 느끼는 것 이상의 깨달음을 준다. 깨달음이라는 게 그리 거창한 것이 아니더라. 지그시 관찰하다 보면 내 삶과 맞닿아 닮은 꼴을 찾게 된다. 자연스레 유레카~!를 외치는 그 순간. 그것이 깨달음이더라.

산중 깊은 골짜기에서 조용히 수련을 하다가 찾는 것만이 깨달음은 아니다. 주변을 애정 있는 눈으로 들여다보면 틀을 깨고 나오는 깨달음이 있다.

배움보다 느낌, 느낌보다 깨달음이라는 것은 내 삶이 온전히 내 삶 안으로 들어왔을 때 보이는 것들이다.

불편한 기대감

누군가의 기대는 마음을 불편하게 한다.
그럼에도 그 불편한 기대감은 나를 움직이게 만들었다.
불편해하면서도 어느 순간 기대하는 모습에 비슷해지려 노력하고 있는 나 자신을 발견하곤 한다.

누군가의 기대가 있다는 것을 알게 되면 불편하지만 불안하지는 않았다. 돌이켜보면 기대조차 없는 삶보다는 훨씬 나았다.
불편한 기대감이 주는 긍정적 영향은 이런 게 아닐까 생각한다.

첫째, 우리는 주변 사람들에게 좋은 인상을 주고 싶어 하기에 더 나은 자신을 만들기 위해 노력하게 된다. 타인의 기대는 책임감을 가지게 해준다. 약속하지 않았지만 약속을 지키려 노력한다. 그리고 책임감 있는 행동을 하게 한다.

둘째, 기대는 우리 자신의 성장을 촉진하는 역할도 한다. 기대는 무엇보다 큰 동기부여가 된다. 기대는 우리가 자신의 능력을 높이 평가하게 만들어 주며, 우리가 그것에 부응하기 위해 최선을 다하게끔 자극한다.

이러한 긍정적인 영향은 불편하지만 왜 우리에게 타인의 기대감이 필요한지를 말한다. 타인의 기대는 우리에게 불편함을 줄 수 있지만, 그것은 우리가 성장하고 발전하는 데 많은 도움을 줄 수 있다는 점을 이야기하고 싶었다. 불편한 기대감으로 우리가 얻을 수 있는 기대는 스스로의 가치와 성장을 위해 노력하게 해주는 촉진제의 역할을 한다는 것이다.

타인의 기대는 때로는 우리 자신에게 부담으로 올 수도 있지만, 긍정적 효과를 무시할 수 없다. 그러기에 나는 오늘도 누군가의 기대 속에서 기대어 산다.

사람의 마음을 움직이는 언어

사람의 마음을 움직이는 언어, 그것은 바로 태도이다. 마음을 움직이게 하는 것에는 상대를 향한 고운 말도 있지만, 소리 없는 태도 또한 한몫한다.

나의 글의 주제 중에 유독 태도에 관한 이야기가 많은 것은 그만큼 사람들의 사소한 태도의 차이가 인생의 차이로 연결된다는 것을 믿어서이다.

같은 날 동네의 상점 두 곳을 방문하고서는 사소한 말과 태도가 사람의 마음을 움직일 수도 닫게 만들 수도 있다는 것을 다시 한

번 깨닫게 되었다.

막내의 머리를 자르기 위해 아파트 인근의 동네미용실에 들어갔다. 어린아이들은 가만히 있지 못하고 힘들게 해서인지 아이들 손님을 꺼려하는 곳도 있다. 세 아이를 자주 미용실에 데리고 다니면서 생긴 버릇이 있다. 아이들 손님을 싫어하지는 않는지 습관적으로 미용사의 말과 태도를 유심히 관찰하게 된다. 이번에 방문한 미용실에서는 귀찮아하는 내색 없이 아들을 진심으로 귀여워해 주시며 정성껏 머리 손질을 해주셨다. 만 원을 내고 나오기가 민망할 정도로 아이 손님에게 정성을 기울이시는 모습에 나도 모르게 마음과 지갑이 동시에 열렸다. 미용실 다녀온 지 얼마 되지 않아 조금 더 있어도 되는데도 미안함과 고마운 마음에 염색을 부탁드렸다.

머리를 하고 남편이 지난번 먹어 보고 싶다고 이야기했던 곱창가게에 들렀다. 문을 열고 들어선 가게 안은 손님이 아직 없는 시간이어서 한가해 보였다. 들어섰을 때부터 주인의 표정에서 손님이 크게 반갑지 않다는 것을 느낄 수 있었다.

'내가 무슨 잘못을 했나?'

평소 같으면 아이들이 먹을 메뉴도 있는지 살펴본 후 같이 주문을 해서 가져가는데 이곳에서는 왠지 그러고 싶은 마음이 없었다. 곱창을 볶고 있는 내내 표정이 좋지 않다. 불편하다. 빨리 이곳을 나가고 싶다. 그리고 두 번 다시 오고 싶지 않다. 마음과 나의 지갑이 동시에 닫혀버렸다.

불편한 곳에 다녀오면 잠시동안 기분이 좋지 않다. 돈을 내고 좋지 않은 경험을 하는 건 달갑지 않다. 이러한 일을 겪으면 처음에는 상대방의 태도에 대해 곱씹어 생각하다가 결국은 나에 대한 생각으로 옮겨온다.

‘나의 태도는 괜찮은 것일까?’
‘나는 고객에게 사소한 태도로 마음을 닫게 만든 적은 없을까?’

사소한 태도가 삶의 전반에 영향을 미치는 것은 자명하다. 그러나 이러한 태도는 삶을 살아가는 자세와 습관에서 비롯된다고 생각한다. 자신이 어떤 태도로 세상을 대할지를 결정하는 것은 삶의 방향을 결정하는 것과 같다. 어떤 상황에서도 긍정적인 태도를 유지하도록 연습하고 노력하는 것은 의미 있는 일이다.

좋은 태도는 결국 우리의 삶의 모습이 된다.

웃을 일이 없어도 그냥 웃어보자.

우리 삶은 예측할 수 없다. 예상할 수 없는 일들에 부딪히면 긴장과 두려움이 밀려온다. 가끔은 헤어나올 수 없을 정도의 우울감과 슬픈 감정에 빠지기도 한다.

그럼에도 이런 상황에서도 예상이 가능한 인간 능력이 한가지 있다. 바로 선택과 웃음입니다. 이것은 신이 인간에게 준 가장 큰 선물이 아닌가 생각된다.

지금의 상황에서 어떤 방향으로 나아갈지는 순전히 나의 선택에 맡겨진다. 선택할 수 있는 기회를 가진 것은 인간이 가진 놀라운 능력 중 하나이다. 인간은 자유롭게 선택할 수 있으며, 선택에 따른 책임을 지는 것이 가능하다. 이러한 선택이 우리의 미래를 다르게 인도할 것이다. 예측할 수 없었던 상황들이 눈앞에 놓이더라도 어떤 선택을 하느냐에 따라 불행이라고 생각했던 일들이 역으로 좋은 결과를 가져오기도 한다.

좋지 않은 상황에서 오랜 시간 슬픔과 괴로움에 빠져있기 보다는 한 발짝 떨어져 그 상황을 객관적으로 지켜보는 눈이 필요할 때가 있다. 안 좋은 상황을 지속시키느냐 빠져나올 수 있는 기회를 찾아보느냐는 자신의 선택에 달려 있다고 본다. 우리는 자신을 위해 선택하고 책임지며 자신의 인생은 스스로가 제어할 수 있어야 한다.

또 하나의 신의 선물은 웃음이다. 웃음은 우리의 감정을 표현하는 것뿐만 아니라, 스트레스를 줄이고 긍정적인 마인드셋을 유지하는 데도 큰 도움이 된다. 웃음에는 큰 힘이 있다.

웃음은 우리가 결정하고 선택할 수 있는 일 중 가장 쉬운 일이다. 웃음에는 마음과 몸을 치유하는 힘을 가지고 있다. 웃음은 우리를 다시 일으킬 수 있는 힘이 있다. 그것은 우리를 강하게 만들고, 문제를 해결하는 데 도움을 줄 수 있다. 새로운 가능성을 찾을 수 있는 힘이 되어주기도 한다. 웃을 일이 없을 때일수록 그냥 웃어보는 것은 이러한 힘들이 있기 때문이다.

삶이 늘 밝고 즐겁지는 않다. 예측할 수 없는 어려움과 고통이 우리를 덮치듯 달려들기도 한다. 그러나 이런 상황에서도 우리는 자신의 마음을 다스릴 수 있다. 우리가 할 수 있는 일들을 선택할 수 있다. 신이 우리에게 준 최고의 선물을 잊지 않고 써보길 바란다.

웃을 일이 없을수록 그냥 웃다 보면 웃을 일이 많이 생긴다.

인생꽃

3월은 봄의 시작을 알리는 달로 새로운 시작을 상징하기도 하다. 눈이 녹고 햇살이 비추기 시작하면서 대지는 잠에서 깨어나며 눈앞에 잠에서 깬 듯한 자연의 아름다움을 한없이 드러낸다. 3월은 겨우 내내 만물을 품었다가 잎과 꽃으로 피우는 계절이다. 앞다투듯이 터트리는 꽃들을 보면 인생의 모습을 엿보기도 한다.

3월에 우리의 시선을 가장 먼저 끄는 꽃은 매화다. 매화는 추운 겨울이 끝나고 봄이 찾아오기 전, 꽃을 피우는 아름다운 꽃 중 하나다. 그 아름다움으로 인해 사람들의 이목을 끌기에 충분하다. 매화는 봄이 시작됨을 알린 후 사람들의 시선과 사랑을 받고, 금새 져버린다. 꽃들의 입장에서는 사람들의 발길이 이어지는 매화꽃은 선망의 대상일 것이다. 하지만 중요한 사실이 있다. 매화와 같이 이른 봄에 꽃을 피우는 꽃들도 있지만 여름, 가을, 겨울까지 늦게 피는 꽃들이 더 많다는 것이다. 꽃마다 철이 있다는 사실이다.

인생도 이런 모습이 아닐까 여겨진다. 인생에서도 가장 먼저 성공을 거둔 사람들은 자신의 노력과 역량으로 인해 많은 사람들의 이목을 끌게 된다. 하지만 천천히 자신이 드러날 계절에 맞게 뒤늦게 꽃을 피우는 사람들도 있다.

인생을 길게 보면 먼저 꽃을 피워도 좋고, 뒤늦게 꽃을 피워도 좋다. 중요한 것은 시기가 아닌 자기다움이 드러날 계절에 피는 것이다.

인생의 꽃은 언제든지 피울 수 있다는 것을 잊지 말아야 한다. 늦게 핀 꽃들도 그들만의 아름다움과 향기를 지니고 있다. 인생에서 꽃을 피운다는 것은 쉬운 일은 아닐 테지만 꽃피우기 위한 노력의 보상은 클 것이라는 희망을 품고 오늘도 노력해본다.

가끔은 마음속 속도를 늦춰보자

빠르게 변화하는 세상 속에서 잠시 마음속 속도를 늦춰보자는 것은 변화의 속도에 휩쓸리지 않고 자신의 내면 가치에 중심을 둔 균형 잡힌 삶을 살자는 의미다. 빠른 속도로 변화하는 세상에서는 새로운 기술과 정보가 끊임없이 나오고, 그것을 따라잡으려는 노력이 필요하다. 하지만 그 과정에서 인간적인 가치와 소중한 것들을 잃어버릴 수도 있다. 그러지 않기 위해서라도 가끔은 속도를 늦춰보는 것도 중요하다.

우리는 매일 바쁜 일상을 살아가고 있다. 하지만 그 속에서 자신의 마음을 챙기는 것은 쉽지 않은 일이다. 우리는 늘 바쁘게 지내야 한다는 생각으로 일상을 보내며, 시간이 지날수록 자신의 마음과 멀어져 간다.

일부러라도 가끔은 속도를 늦춰보는 건 어떨까? 세상의 속도에는 맞추느라 미처 돌보지 못한 마음의 속도를 돌아보는 시간이 될 것이다. 속도를 늦추고 마음을 들여다보면 우리 자신의 삶은 보다 깊어질 것이다.

마음의 속도를 늦춘다는 것은 일상의 속도를 줄이는 것이다. 자신의 일상을 돌아보고, 어떤 것이 마음에 직접적으로 다가오는지를 생각해 보아야 한다. 그리고 그것을 따라 나아가면서, 자신의 속도를 조절해보는 거다.

가끔은 느린 속도로 살면서, 내일이 아니라 오늘을 살아갈 수 있다. 지금 이순간에 대해 집중해서 생각하고, 그것을 바탕으로 하루하루를 꾹꾹 담아 살아갈 수 있다.

이는 단순히 하루를 잘살아가자는 의미만은 아니다. 마음의 속도를 늦춘다는 것은, 자신의 삶에 대한 방향성을 찾는 일이기도 하다. 빠르게 살아가다 보면, 때로는 자신의 삶이 어느 방향으로 흘러가는지 알지 못하고 헤매는 경우도 있다. 느리게 자세히 들여다보면서 자신이 어떤 삶을 살고 싶은지, 어떤 방향으로 나아가고 싶은지를 생각하며 가야 한다.

마음속 속도를 늦추면 나를 만날 수 있다. 자신이 어떤 삶을 살아가고 있는지, 자신의 감정과 생각이 무엇인지 알아차릴 수 있는 시간을 가지게 된다. 앞만 보고 달리다가 진정 자신이 원하는 것을 놓칠 수도 있다. 그러면 타인의 기대에 기대어 살게 된다. 속도를 잠시 늦추고 자신을 돌아보면 삶의 중심을 자신으로 끌어 올 수 있는 계기가 된다.

정신없이 시작된 화요일 아침, 일부로라도 마음속 속도를 늦춰보는 하루를 가져보려 합니다.

피드백

누군가에게 피드백을 받는다는 것은 두려운 일 중에 하나다. 사람들이 피드백을 받는 것을 두려워하는 이유는 여러 가지가 있을 것이다. 그중에서 가장 많은 부분을 차지하는 것이 자신의 부족한 점을 인정해야 하는 일일 테다.

자신의 부족한 부분을 인정하기 어렵다는 것은 자존심 때문이다.

부족한 점을 인정하면서 개선을 시도하는 것 자체가 자신의 부족한 능력을 인정해야 하는 부정적 인식에서 출발한다.

지적과 부정적이기만 한 피드백으로 개선은 커녕 피드백에 대한 두려움만이 남았던 경험을 한 사람이 대다수일 것이다. 잘못된 피드백으로 좋지 않은 기억이 있다면 피드백에 대한 두려움이 생기는 건 당연하다.

그럼에도 우리에게는 피드백이 필요하다는 이야기를 해보고 싶다. 우리의 성장에 많은 부분을 기여하기 때문이다. 피드백에 대한 긍정적인 부분을 활용하여 자신의 부족한 점을 개선하고 성장에 도움이 될 수 있도록 포용적인 태도를 가져보는 연습을 해보자.

피드백에는 다음과 같은 힘이 있다.

첫째, 행동 개선의 기회가 된다.
피드백은 자신의 부족한 부분을 보여주고, 조언을 얻음으로써 개선의 기회를 가지게 된다. 다른 사람들의 시선에서 자신을 바라볼 때, 우리는 더나은 모습으로 변화해 갈 수 있다.

둘째, 훌륭한 피드백으로 성취감을 높인다.
적절한 피드백을 통해 우리는 노력한 결과를 인정받을 수 있다. 이를 통해 성취감을 높이고, 더 큰 동기부여를 얻을 수 있다.

셋째, 열린 마음으로 세상을 더 크게 볼 수 있는 눈이 생긴다. 피드백은 우리가 자신에게 열린 마음을 유지하고, 계속해서 성장할 수 있도록 도와준다. 우리가 다른 사람들의 의견을 수용하고, 그것을 적극적으로 반영하면서 개선과 성장의 촉진제가 된다.

피드백의 긍정적 힘을 더 나은 삶으로 이끌어 가는데 통로로 삼아보면 좋겠다.

피드백은 단순한 평가는 아니다. 평가라는 것은 정량적인 기준을 사용하여 어떤 결과를 평가하고, 결과에 대한 점수나 등급을 매기는 일이다. 하지만 피드백은 지속적으로 개선해 나갈 수 있는 부분을 알려주는 일이다. 평가와는 다르다.

피드백을 하는 사람의 입장에서도 평가가 아닌 제대로 된 피드백을 할 수 있는 자세를 가져야 한다. 듣는 입장의 사람이 더 나은 결과를 도출할 수 있도록 도와주는 역할을 해주어야 한다는 이야기다. 단순히 감정이 섞인 개인적인 조언보다는 도움되는 이야기를 들려주어야 한다.

피드백을 하는 사람은 상대를 존중하고 이해하는 마음이 있어야 가능하다. 명확하고 구체적으로 해야 실질적인 도움이 된다. 이를 통해 상대방은 개선할 수 있는 부분을 정확하게 파악하고, 더 나은 결과를 얻을 수 있다. 상대방의 성장을 돕기 위한 마음으로 진정성을 갖고 해야 한다. 이러한 자세를 가진 피드백은 주고받는 사람 모두에게 더 나은 결과를 가져오는 힘이 된다.

'피가 되고 살이 되며, 든든한 빽이 되는 길잡이'

생각잡스 유진의 피드백의 정의

대담해지면 대단해집니다.

폴앤마크의 최재웅대표의 유튜브 영상에서 새긴 이 한마디,
"대담해지면 대단해집니다."

'대담하다, 담력이 크고 용감하다.'
무엇을 하든 두려움이 뒤따른다. 두려움을 마주하고도 한 발짝을 내딛는 사람에게는 용기가 있다고 한다. 두려움이나 불안감 앞에서 망설이고 주저하는 것은 당연한 일이다. 그럼에도 불구하고 앞으로 나아가는 사람은 예상치 못한 상황에서 작게나마 희망을 보고 있기 때문일 테다.

선택과 행동이 있어야 결과도 만들어 낼 수 있다.
물론 대담함만이 모든 것을 해결해 주지는 않는다. 나의 경우도 무턱대고 했던 대담한 행동이 손실을 가져온 적도 여러 번 있었다.

가만히 있었으면 생기지 않았을 일들을 경험해 보았다. 그나마 다행인 건 실패를 실패로 바라보지 않는 시선을 가지고 있다는 점이다. 이번 실패도 돈으로 배웠구나하고 말이다.

학교에서도 책에서도 가르쳐 주지 않는 것들은 직접 해보지 않으면 배우기 힘들다. 그래서 그런 일들은 실패를 하더라도 돈으로 제대로 배웠다고 생각한다.

그럼에도 불구하고, 많은 위험요소가 따름에도 당신이 대담해지길 바란다. 대담한 행동은 가능성을 높이고, 새로운 길을 만날 기회를 열어준다. 이는 우리 인생에서 큰 의미를 지닌다.

도전은 살아있는 교육이다.
새로운 경험을 통해 인간은 자신의 한계를 극복하고 성장할 수 있다. 도전은 개인마다 다르며, 개인의 경험, 능력, 환경, 상황 등에 따라서도 차이가 있을 수 있다. 도전을 통해 얻을 수 있는 경험과 교훈은 사람마다 다르며, 같은 도전을 겪더라도 각자의 해석과 배움의 정도가 다를 수는 있다. 자신만의 방식으로 경험을 해석하고, 배움의 기회를 잘 살려 인생에 적용해 보면 된다. 도전을 멈추지 않는 마음이 중요하다. 대담한 행동이 인생의 커다란 변화를 불러일으킬 수 있는 기회라는 것을 꼭 기억하길.

도전을 두려워하지 말고, 작은 것부터 시작하여 자신의 가능성을 믿고 노력해보는 것이 중요하다. 대담해지면 실패 앞에서도 담대해지고, 그 담대함이 쌓이면 결국 대단해진다.

바람과 소나기가 멈출 때

飄風不終朝 표풍부종조
驟雨不終日 취우부종일
회오리바람은 내내 불지 않고, 소나기도 하루 종일 내리지 않는다.

<도덕경>

우리의 삶은 불확실성와 변화의 연속이다. 예측할 수 없는 일들이 직면한다. 이때 우리는 그동안의 살아오면서 쌓아왔던 인내심과 대처능력을 시험받게 된다.

도덕경의 '회오리바람은 내내 불지 않고, 소나기도 하루종일 내리지 않는다'라는 구절은 여러 가지 생각을 하게 한다. 어떠한 어려움도 끝이 있다는 뜻이 아닐까.

또한 불확실성과 변화를 받아들이는 자세를 강조한다. 역경을 받아들이는 자세는 우리가 삶에서 마주하는 다양한 상황에서 매우 중요한 역할을 한다. 회오리 바람이 내내 불지 않고 소나기도 하루종일 내리지는 않는 것처럼 어떠한 문제도 영원히 지속되지 않는다.

불확실성과 변화가 우리를 괴롭힐 때 우리는 자신을 돌아볼 수 있는 시간을 가져야 한다. 그리고 이러한 시간이 도래하면 잠시 멈춰서서 인생을 돌아보는 시간을 가져도 좋을 것 같다.

모든 어려움이 영원히 지속되지는 않는다. 우리가 마주하는 어려움은 인생에서 한 장면이며 일시적인 것이고 시간이 지남에 따라 해결될 수 있다. 시간이 해결하지 못하는 일은 너무 애쓰지 않아도 좋을 것 같다. 우리의 힘으로 어찌할 수 없는 것들이기 때문이다.

인생의 어려움을 해결하기 위해서는 문제를 제대로 들여다보고 받아들이는 것이 중요하다. 어려움을 인식하고 받아들이는 것은 그것을 이겨낼 수 있는 자신감을 갖는 첫걸음이다. 그리고 해결할 수 있는 것들의 해결책을 하나씩 찾아가면 된다. 문제를 해결하는 것은 쉽지 않기에 인내심과 노력이 필요하다.

때로는 다른 사람의 도움이 필요할 수도 있다. 이때는 주변의 지지와 도움으로 극복할 수 있다.

어려움이 우리를 괴롭히더라도 해결할 수 있는 방법은 반드시 있다. 바람은 내내 불지 않고, 소나기도 하루종일 내리지 않는 것처럼 말이다. 어려움과 같은 바람과 소나기가 멈추는 시간은 반드시 온다.

계속 나아가는 힘

"버티는 거야. 버티면 되는 거야. 버티면 다 되는 거야."
한동안 틱톡 짤로 유명했던 장면이다. 많은 부분이 공감되어 언젠가는 지속하는 힘에 대해 써봐야겠다고 생각해 왔다.

지속력

지속하는 힘은 중요하다. 무언가를 끝까지 해내는 힘은 열정과 의지만으로는 부족하다. 목표를 이루는데 어렵고 좌절시키는 여러 방해 요인들 속에서 지속해 나간다는 것은 재능과 환경을 뛰어넘는 그 이상의 힘이다.

미국의 심리학 교수인 엔젤라 더크워스의 그릿이라는 책에서 이러한 내용을 다루고 있다. 그것은 지속하는 힘 그릿(Grit)이다.

그릿(Grit)은 목표를 달성하기 위해 끊임없이 노력하고, 지속적으로 발전시키며 어려움과 실패를 극복하는 개인적인 성격적 특성을 의미한다.

그릿은 고도로 열정적이고, 목표 지향적인 인간의 특성으로, 고난과 어려움을 극복하며 도전에 대처하는 것에 중점을 두고 있다. 그릿이 탁월한 사람들은 자신의 능력을 극대화하기 위해 끊임없이 노력하고, 실패와 좌절이 있음에도 계속해서 전진한다.

저자는 그릿이 성취와 성공에 미치는 영향을 연구하기 위해 다양한 분야에서 성공한 사람들과 실패한 사람들의 심리적 특성을 조사하고 분석했다. 그 결과, 그릿이 높은 사람들은 낮은 그릿을 가진 사람들보다 더 많은 열정과 인내심, 높은 목표 지향성, 그리고 책임감을 가지고 있다는 것을 알게 되었다.

그릿은 목표 달성을 위해 중요한 요소이며 이를 개발하고 강화하는 것이 개인적 성취와 발전에 도움이 된다. 그릿, 즉 지속하는 힘은 불가능해 보이는 큰 꿈이나 목표도 매일 꾸준히 지속하면 언젠가는 도달할 가능성이 높아지게 해준다. 그 외에도 지속력을 발휘하여 목표를 달성하면, 그에 따른 성취감을 느끼게 해준다. 성취감은 우리의 자신감을 높이고, 긍정적인 영향을 주어 우리의 삶을 보다 행복하게 만든다.

또한 지속력을 가진 사람들은 어려움을 극복하기 위해 스트레스를 줄이는 다양한 전략을 갖추고 있다. 우리가 마주치는 어려움에 대처하는 방법을 갖춰나가며 스트레스를 상대적으로 덜 받는다. 그리고 지속력은 결국 인내심을 더욱 강화시켜준다. 무언가를 스스로 이루어내 본 사람은 그것을 이루었을 때의 성취감을 안다. 그 힘은 앞으로도 꾸준히 도전하고 계속해나가는 데에 힘을 보탠다.

그렇다면 지속력을 기르기 위해 노력할 수 있는 부분은 어떤 것들이 있을까?
첫째, 뚜렷한 목표를 갖는 것이 중요하다. 목표는 무언가를 꾸준히 하는데 동기부여를 충분히 제공한다.
둘째, 목표에 대한 계획이 명확해야 한다. 목표를 달성하기 위해서는 계획적이고 체계적인 노력이 필요하다. 이는 방향을 잃고 헤매지 않게 해준다. 즉, 쉽게 포기하지 않게 해준다.
셋째 긍정적 사고력이다. 실패를 실패로 보지 않고 경험의 일부분이라고 받아들일 수 있는 자세가 필요하다. 긍정은 계속해 나아가는 데 힘을 실어주는 큰 역할을 한다.

우리는 지속하는 힘을 기르는 데 노력을 기울일 필요가 있다. 뚜렷한 목표와 계획을 세우고 어려움에 대처하는 방법을 터득하며, 스트레스를 줄이는 전략을 갖추어 나가면 지속하는 힘을 길러 나갈 수 있다.

우리의 삶은 정지화면이 아니다. 끊임없이 노력하고 나아가야 한다. 지속력이야 말로 숨겨진 재능을 개발하는 데 큰 힘이 될 수도 있다. 지속하지 못하는 것은 성격이나 의지의 문제가 아닌 지속하는 방법을 모르기 때문이다. 습관과 학습으로 배울 수 있다고 생각한다.

지속력은 평생에 걸쳐 필요한 힘이다.

인생은 회전목마

- 챗GPT 지음

인생은 회전목마 같아
돌고 도는데 멈출 줄 모르지
때로는 빠르게 돌다가도
때로는 천천히 돌다가도
때론 즐거움에 소리를 지르고
때론 고통에 신음하며
하지만 그 어떤 순간도
회전목마는 멈추지 않아

그렇게 돌고 있는데
우리는 언제나 내리고 싶어하지
하지만 그러기는 쉽지 않아
회전목마는 계속해서 돌아가니까

그렇게 돌고 돌다보면
끝나버리는 것일까
그것도 모르고 돌아가지만
우리는 언젠가 내릴 수 있을까

하지만 지금은
그저 회전목마에 올라타서
모든 것을 경험하며
언젠가는 내려야 할 그날을 기다리자

막내가 즐겨 부르는 노래가 있다. 소코도모의 회전목마. 마지막 부분의 가사가 인상적으로 들렸다.
'인생은 회전목마~~~~~'

호기심이 발동해서 챗GPT에게 시를 한 편 지어달라고 했다. 똑똑한 AI는 나보다 훨씬 나은 글을 1분도 안 되어서 주루룩 완성해 나갔다.

인생은 회전목마와 같다는 비유에 무릎을 쳤다. 리듬이 좋은 것은 알았지만 가사에도 깊은 의미가 있을 거라고는 자세히 듣고 나서 알게 되었다. 회전목마라는 놀이기구를 인생에 빗대면 우리가 겪는 경험과 느끼는 감정, 그리고 시간의 흐름을 잘 표현해 준다.

회전목마는 우리가 컨트롤할 수 없다는 것들을 상기시켜주기도 한다. 우리는 그저 올라타서 돌릴 뿐이며, 언제 멈출지도, 어디로 가는지도 모른다. 인생도 마찬가지로 우리가 컨트롤할 수 있는 것은 매우 제한적이다. 우리는 태어나서 죽을 때까지 삶의 회전목마에 올라타 있을 뿐이다.

회전목마 위에서 우리는 다양한 경험도 할 수 있다. 빠르게 돌아가는 순간에 느끼는 일시적인 쾌락과 즐거움이 그것일 것이다. 반대로 천천히 돌아간다는 것은 정체된 삶, 방황, 불안감, 실패를 의미할 수도 있을 것이다.

회전목마에 올라탈 때는 때로는 혼자일 수도 있지만 함께 탈 수도 있다. 그것이 가족, 연인, 동료가 될 것이다. 인생에서 여러 인연들과 연을 맺으며 살아가는 순간을 회전목마에 함께 올라탔다고 비유하는 것도 참 멋지다는 생각이 든다.

시에서 말하는 것처럼 회전목마는 멈춤이 있다. 그것이 인생에 맞이하는 죽음으로 비유할 수 있겠다. 회전목마에서 내리기 위해서는 적극적인 선택과 행동도 필요하다는 사실을 깨달을 필요가 있다. 그것을 인생에 비유한다면 적극적인 선택과 행동이 흐르는 인생을 컨트롤할 수 있는 유일한 방법이라는 것을 알게 된다. 그렇지 않으면 마냥 돌아가는 회전목마에 인생을 맡길 수밖에 없다.

인생은 회전목마와 같이 우리가 완전한 컨트롤은 불가능하지만 타고 내리는 것은 결정할 수 있는 문제이다. 그러기 위해서는 우리는 자신의 인생을 적극적으로 계획하고, 그 계획을 실천하기 위해 행동해야 한다. 회전목마에서 내리기 위해서는 내리고 싶은 시간에 내려야 한다.

우리는 자신의 삶에서 다른 사람들과 관계를 형성하는 것이 중요하다. 회전목마에서는 우리와 함께 올라타는 사람들이 있고, 그들과 함께 즐거움을 만끽할 것이다. 같이 탈 사람도 나의 결정에 의해 선택할 수 있다는 것이 중요한 포인트다. 인생의 회전목마에 함께할 사람들과 마음이 맞고 잘 소통할 수 있는 사이여야 즐겁게 목표 달성도 할 수 있다.

무심코 들었던 노래가사에서 철학적인 생각까지 이어지게 한 오늘의 시작이 참 맛있다. 인생을 보다 깊이 있게 바라보고 의미를 부여할 수 있는 사고의 깊이를 더해 나가는 연습을 꾸준히 해야겠다.

긍정적 사고가 삶에 미치는 영향

긍정적인 사고는 인생에 많은 영향을 미친다. 우리의 마음은 태도를 결정하고 태도는 삶이 되기 때문이다. 긍정적인 사고는 우리가 살아가며 마주치는 어려움과 도전에 대처하는 데 힘이 되어 줄 뿐만 아니라 우리의 삶 전반에 지대한 영향을 준다.

긍정적인 사고는 무엇이든 해볼 수 있다는 자신감을 높여준다. 또한, 긍정적인 사고는 스트레스와 불안감을 줄여주는데 탁월한 효과가 있다. 좋은 생각은 자연스럽게 스트레스를 줄여준다. 할 수 있다는 자신감이 자연스레 어려움을 극복하고 해결책을 찾아내는 능력을 키워주며 이는 곧, 불안감을 줄여주기도 한다. 그리고 마지막으로 긍정적 사고는 주변에 좋은 사람들이 모이게 해준다. 이끌림이라고 할까? 긍정적 사고는 비슷한 생각과 기운을 가진 사람을 끌어당기는 힘이 있습니다.
이러한 이유로, 긍정적인 사고는 우리의 삶에서 매우 중요합니다.

긍정적인 사고와 태도를 갖기 위해 노력해야 하는 것들에 대해 생각해 보았다.

첫째, 자신의 생각을 주의 깊게 관찰해보는 것이다. 우리는 종종 자신의 생각이 부정적이거나 비관적일 수 있다는 것을 인식하지 못한다. 자신의 생각을 잘 관찰해 보는 시간을 가질 필요가 있다.

그리고 주변의 소리에 귀를 기울여보자. 내가 평소 어떤 생각을 하는 사람인지 주변 사람들의 평가가 정확할 때도 있다.

둘째, 긍정적인 언어를 사용한다. 우리의 언어 선택은 우리의 생각과 태도에도 영향을 미친다는 것은 모두 경험으로 알고 있을 것이다. 부정적인 표현보다는 긍정적인 어투로 말을 해보도록 한다. 이는 자신뿐만 아니라 나의 주변에 있는 사람들에게도 좋은 영향을 미친다.

셋째. 감사하기. 현재의 환경과 주어진 것들에 감사함을 느끼면 불평불만이 줄어든다. 주변 환경에서 긍정적인 측면을 찾아내고 인식하는 것이 아주 중요하다.

넷째, 목표와 성취에 대한 긍정적인 태도와 셀프 피드백을 해본다. 목표를 설정하고 이를 달성하는 과정에서 많은 어려움과 실패를 겪을 수 있다. 그러나 이러한 실패를 긍정적인 경험으로 인식하고, 배움과 성장의 기회로 삼는 것이 중요하다.

그리고 마지막으로 명상의 시간을 가져본다. 긍정적 사고와 명상은 서로 긴밀하게 관련되어 있다. 명상은 우리가 내면의 평화와 안정감을 찾을 수 있도록 도와주며, 이는 긍정적인 사고와 태도를 유지하게 해준다. 명상은 우리의 마음을 집중하고, 현재 순간에 집중하는 것을 돕는다. 이는 우리의 뇌파를 변화시켜 더 평온하고 안정된 상태를 유지해준다. 이러한 상태는 우리가 긍정적인 생각과 감정을 유지하는 데 도움이 된다. 명상을 꾸준히 실천하면서, 내면의 평화와 안정감을 찾아가 보는 것을 추천한다.

그 외에도 충분한 수면, 꾸준한 운동 등으로 신체와 정신을 모두 건강하게 유지하는 것도 중요하다. 건강한 라이프 스타일 자체가 긍정적 태도와 사고를 가져오기도 한다.

위와 같은 방법들을 실천하며, 긍정적인 사고와 태도를 유지하는 것은 쉬운 일이 아닐 수 있다. 그러나 이러한 노력들은 우리의 삶과 주변 사람들에게 긍정적인 영향을 미칠 것이며, 우리가 성취하고 싶은 목표를 달성하는 데도 도움이 된다.
그러니 노력해볼 만한 일이다.

쓸모 있음과 쓸모없음에 대한 단상

쓸모 있음, 쓸모없음

쓸모 있음과 쓸모없음은 개인적인 견해에 따라 달라질 수 있는 상대적인 개념이다. 쓸모가 있다는 것은 인간의 삶을 더욱 풍성하게 만들고 발전시키는데 이바지할 수 있음을 이야기할 것이다. 반면 쓸모없다는 것은 삶에 저해 요인이 되거나 존재 자체가 무의미하다는 의미로도 받아들여질 것이다.

철학자들은 종종 쓸모 있음과 쓸모없음에 대해 이야기한다. 대표적인 인물로 중국의 장자를 들 수 있다. 장자의 철학 대부분에는 쓸모 있음과 쓸모없음에 대한 생각이 포함되어 있다. 장자는 세상에 존재하는 모든 것들이 쓸모있는 것과 쓸모없는 것으로 나뉘며, 그중 어떤 것이 더 우월한 것은 없다고 주장한다. 예를 들어, 인간이 살아가는 데 필요한 음식, 옷, 집 등의 물질적인 것들은 쓸모있는 것으로 보이지만, 그것들이 인간의 내면적인 만족을 충족시키지 못한다면, 결국은 쓸모없는 것이 된다.

반면에, 장자는 자연의 무용함을 강조하기도 한다. 예를 들어, 나무, 바람, 구름, 물 등 자연의 요소들은 사람들이 조작하거나 이용할 수 없지만, 그들은 자연 그대로의 아름다움을 지니고 있으며, 인간의 마음을 풍요롭게 만들어 준다. 장자의 철학은 실용적인 가치보다는 인간의 내면적인 성장과 삶의 질을 향상시키는 데 더 초점을 두고 있다고 생각할 수 있다.

쓸모 있음과 쓸모없음은 주관적이기도 하다. 한 사람에게 유용하다고 생각되어지는 것이 다른 사람에게는 그렇지 않을 수도 있기 때문이다. 이것은 문화, 시대, 사회적 배경, 개인적 경험 등에 따라서 달라질 수 있다.

어떤 사람에게는 오래된 가구가 쓸모없는 쓰레기로 보이겠지만 다른 사람에게는 가치 있는 가구로 보일 수도 있다. 인터넷과 같은 기술적 발전은 일부 사람들에게는 쓸모 있다고 느껴질 수 있지만, 다른 사람들에게는 그것이 인간의 관계를 파괴하고, 개인정보 보호 문제를 야기하며, 불필요한 정보 과잉섭취를 유도하는 쓸모없는 것으로 보일 수도 있다.

따라서, 쓸모 있음과 쓸모없음은 절대적이지 않으며, 개인의 경험과 지식, 사회적 배경 등에 따라 달라질 수 있다는 점을 염두에 두어야 한다. 이러한 관점에서, 우리는 각각의 것들에 대해서 개인의 판단에 따라서 자유롭게 선택할 수 있는 것이 옳다고 할 수 있다.

도리도리, 부모의 도리, 자식된 도리(道理)

도리 (道理)
사람이 어떤 입장에서 마땅히 행하여야 할 바른길.

우리는 도리도리 까꿍을 하며 따라 하는 아기들을 보며 신기해 한다. 도리도리 까꿍은 도리도리(道理道理) 각궁(覺窮)에서 유래되었다. 세상에는 도리가 있으니 자라면서 이것을 깨닫기 바란다는 의미가 담긴 것이다. 단동십훈(檀童十訓) 부모나 조모가 아이들에게 알려준 10가지 동작에서 나왔다는 설도 있다.

인간의 도리, 조금 더 깊숙이 들어가 부모의 도리, 자식 된 도리는 무엇인지에 대한 의문이 들었다. 며칠 전 시골에서 시부모님을 뵙고 온 이후로 자식으로서 부모에게 해야 할 도리가 무엇인지, 그리고 나는 우리 아이들에게 부모로서 해야 할 도리가 무엇인지 생각해 보는 시간을 갖고 싶었다.

도리도리 까꿍 놀이를 통해 아이들이 자연스럽게 세상의 도리를 배워가는 모습은 참으로 신기하고 아름다운 과정이다. '도리도리'라는 말 속에는 단순히 유희를 위한 것이 아닌 사람이 마땅히 행하여야 하는 바른길이 담긴 것이다. 우리가 흔히 사용하는 단어이지만, 그 의미를 생각해 보니 숙연해진다.

인간 사회에는 부모와 자식 간의 도리가 분명히 존재하며, 사회 전반에서 언급된다. 하지만 대부분은 도리의 범위를 명확히 제시하지 않는다.

부모와 자식 간의 관계에서 '도리'의 범주를 생각해 보는 시간은 매우 중요하다. 흔히들, 부모 된 도리로, 자식 된 도리로~, 라는 표현을 많이 쓴다. 부모가 마땅히 지켜야 하는 도리란, 자식을 사랑하고, 보호해주며 사회의 일원으로 잘 성장할 수 있도록 돕는 것이 아닐까 한다. 물질적인 지원을 넘어 정서적, 도덕적 가치도 심어주는 일도 포함되었을 것이다.

자식으로서의 도리는 부모를 공경하고, 그들과의 관계를 소중히 여기며 살아가 주는 것이 아닐까 한다. 부모로서 나는 아이들에게 도리를 잘 지키고 있는 것일까? 사랑하고 보호해준다는 명목으로 나의 뜻대로 커 나가주길 바라고 있는 것을 아닐까 하는 반성이 밀려왔다. 스스로의 길을 찾게끔 서포트해 주겠다는 것이 선을 넘어 길을 만들어 주고 있을지도 모른다. 그들의 꿈을 존중하고 먼저 살아온 선배로서 조언자, 지원자 역할을 하자고 했던 애초의 결심은 희미해지고 있다.

부모의 도리와 자식 된 도리를 잘 지키기 위해서는 서로를 독립된 인격체로서 존중하는 태도가 필수적일 것이다. 각자의 고유한 생각을 이해하고 인정해주어야 한다. 그래야 서로에게 바라는 바 없이 자신의 길을 갈 수 있다. 세상에 낳아놨다고 무조건적인 책임을 요구하지 않고, 내가 낳은 아이라고 내 뜻대로 키워나가서도 안 된다.

자식으로서도 부모를 단순히 어른이나 보호자로만 보지 않고, 그들 각자가 지닌 독특한 인격과 삶의 경험을 존중해야 한다. 부모의 조언을 먼저 살아본 선생으로 귀 기울일 줄 알아야 하고 그들의 선택도 존중해주어야 한다. 서로를 하나의 인격체로서 거리를 유지하면 어지러지지 않는 바른길이 된다.

부모의 도리는 자식이 스스로 두 발로 제대로 설 수 있게 될 때까지 지원을 아끼지 않는 것이다. 그러나 현실은 자식이 성인이 된 이후에서 스스로가 설 수 있도록 책임져주고 있다.

다 큰 자식 때문에 경제적, 정서적으로 어려움을 겪는 부모와, 부모로 인해 자신의 삶을 제대로 살아가지 못하는 자식이 있다는 것을 보면 서로의 과도한 도리 지키기는 결국 양쪽 모두에게 이로운 일이 아니다.

부모와 자식 간의 건강한 관계를 유지하기 위해서는 서로의 독립성을 존중하고, 적절한 시기에 도리의 범위를 재설정하는 지혜가 필요하다. 부모는 자식이 자립할 수 있도록 필요한 지원을 아끼지 않되, 자식이 성인이 되어 스스로의 삶을 책임질 수 있게 되면, 자식의 독립을 존중하고 지지하는 자세가 필요하다.

도리도리 까꿍은 삶의 근본적인 자세를 생각할 시간을 주었다. 우리가 가족 간에, 나아가 사회적으로 서로를 어떻게 대해야 하는지 알아차리게 해주어 감사하다.

삶의 밑천 많이 만들어 두기
경험이 돈보다 가치롭다.

삶을 살아가면서 쌓아가는 경험들은 우리의 '밑천'이 된다. 세상 쓸모없어 보이던 경험들도 어느 날 도움이 된다는 사실을 알았을 때, 어느 것 하나 버릴 것이 없다는 걸 알게 된다. 마치 삶의 여정에서 보물을 수집하는 것과 같다. 각기 다른 경험들은 언젠가는 그 가치를 발휘하게 된다. 그러니, 느끼고 뭐든 경험해 보자.

우리는 주로 학교에서 배우는 지식에 의존해 삶을 이해해왔다. 그것만이 제대로 된 지식이라고 생각한다. 하지만 책에서 배울 수 있는 것에는 한계가 있다. 책 밖에서 몸소 부딪혀 배운 것들의 가치는 살아가면서 깨닫게 된다. 중년쯤 돼야 이해한다.

삶 속에서 다양한 사람들을 겪어가면서 인간을 이해해갈 수 있으며, 실패와 경험을 통해서 회복력을 배운다. 이들은 책보다는 경험이 빠르다.

경험은 우리의 관점을 넓혀준다. 경험을 바탕으로 더 나은 방법을 찾게 해주며, 나 이외의 타인의 삶을 공감하게 해준다. 넓은 시야와 가능성을 열어준다고도 할 수 있겠다. 다양한 경험을 적극적으로 수용할 때, 우리의 삶의 밑천은 더욱 두둑해지는 것이다. 나이가 들수록 우리는 이러한 밑천이 얼마나 소중한지 더욱 잘 알게 된다. 앞으로의 삶을 지지해주는 귀중한 자산이다.

호기심을 잃지 않는 것, 새로운 사람을 만나는데 두려워하지 말 것, 끊임없이 공부하고 여행하는 등 경험을 쌓는 방법은 다양하다. 각자의 경험은 독특하며, 그것이 '나, 자신'을 특별하게 만드는 것이다. 경험을 통해 자신만의 이야기를 만들어가자. 밑천을 두둑히 마련해두자.
일상의 순간을 소중히 여기며, 경험에서 배우고자 하는 자세를 가져야 한다. 돈보다 더 가치로운 밑천이 바로 '경험'이다.

나이가 든다는 것은 선택의 폭이 좁아지다는 걸 의미할지도요.

나이가 든다는 것은 단순히 세월 흘렀다기보다는 삶이 깊어졌다고 말할 수도 있다. 먼 곳을 응시하며 꿈을 쫓던 청춘과는 달리 가까운 삶을 들여다볼 수 있는 여유가 생긴다. 청춘은 마치 넓은 바다와 같아 어디로든 항해할 수 있는 무한한 가능성을 지니고 있다. 수많은 선택 속에서 매일을 고민하고 갈등하는 시간을 보낸다. 시간이 흐르면서 그 선택의 폭이 좁아지고 깊어지는 것은 중년이 되어가는 아름다운 섭리 중 하나다. 시간이 흐르면서, 우리는 많은 선택을 통해 자신만의 길을 정해나가게 되고, 그 길은 점차 좁고 깊은 강처럼 변해간다. 선택의 폭이 좁아졌다고 해서 부정적 의미는 아닌 것이다.

젊은 시절, 우리는 삶의 가능성을 실험해본다. 가급적 다양한 경험을 해보고, 많은 사람을 만나보면서 자신을 찾아가는 시간이다. 방황은 젊음의 특권이다. 이러한 방황도 자연스럽게 시간의 흐름에 따라 점점 줄고, 우리는 삶에서 정말 중요한 것이 무엇인지를 알아차리게 되는 나이가 된다.

나이가 들면서 선택의 폭이 좁아진다는 것은, 어찌보면 제약처럼 느껴질 수 있지만, 이는 삶을 더 깊이 있게 살아가며 단단히 설 수 있는 기회이기도 하다. 삶의 초점이 분명해지고 삶에 집중할 수 있다. 직업적인 면만이 아니라 사람과의 관계에서도 깊이가 생긴다.

나이를 먹으며 경험하는 선택의 축소는 삶의 우선순위를 재정립하는 과정이기도 하다. 젊었을 때는 다양한 것들에 관심을 가지고 도전해볼 수 있지만, 시간이 지나며 무엇이 정말 중요한지, 어떤 것들이 진정한 행복을 가져다주는지가 보인다.

나이로 인한 제약에 때로는 아쉬움과 후회를 동반하기도 하지만, 그 또한 삶의 모습이다. 지나가면 돌아오지 않는다는 것을 알고 현재에 집중하게 되니깐 말이다. 나이가 들면서 경험하는 이러한 변화들은 모두 삶의 자연스러운 과정의 일부다.

남의 허물을 보기 전에 거울을 보자.

"남의 허물을 보기 전에 거울을 보자."는 말은 타인을 비판하기 전에 자신을 먼저 돌아보자는 의미다. 단순한 조언이 아닌, 삶을 바라보는 관점에 대한 이야기가 될 수도 있다.

사람은 본능적으로 자신의 관점에서 세상을 바라보고 판단한다. 자신이 경험한, 배운, 아는 테두리 안에서 생각하고 평가하기를 좋아한다. 자연스러운 현상이지만 위험한 태도이기도 하다. 시각의 고정은 불편한 상황을 불러온다. 상식 이하의 일들이 세상에 넘쳐난다고 생각되어진다. 나 빼고 모두 이상한 사람이라는 편견이 생긴다.

타인의 행동이나 결정에 대해 쉽게 판단을 내리고 비판하는 것은, 그 사람이 처한 상황이나 내면의 고민을 제대로 이해하지 못했기 때문일 수 있다. 타인을 비판하기 전에 그들에 대해 제대로 이해하고 있는가를 먼저 생각해봐야 한다.

나를 잘 알지 못하는 사람이 나에 대해 이러쿵저러쿵 이야기를 했다는 말을 듣고 당장이라도 쫓아가 묻고 싶은 적이 있었다.
"저를 아세요?"
나를 잘 안다고 생각하는 사람도 뒤에서 나에 대해 평가했다는 말이 들린다. 어쩌면 그 사람도 나를 잘 모르는 사람일지도 모른다. 나를 이해했을 거라는 생각은 나만의 착각이었다. 같이 사는 가족들도 나에 대해 잘 이해하지 못하는데 하물며 가끔 보는 타인이 나에 대해 얼마나 알겠는가.

거울을 보는 행위는 자기성찰의 과정이다. 거울을 통해 나를 바라보며 타인의 눈에 내가 어떻게 비춰질지도 생각해 본다면, 누군가를 이야기한다는 게 쉽지만은 않을 것이다.

'겸손이 답이다.'
겸손한 태도는 내가 틀릴 수도 있다는 생각을 기저에 둔다. 내가 아는 것이 전부가 아니고 내가 보지 못한 세상이 더 많다는 것을 인정하는 태도다.

7살 아들에게 얼마 전, "너는 왜 누나, 형들보다 체력이 약하니?"라고 질문하니 어린아이가 명답을 내놓았다.
"엄마, 사람마다 다르다는 거 몰라요?"

그렇다. 사람마다 다르다. 내입장에서 틀리다고 생각한 것이 타인에게 정답이 될 수 있고, 내가 답이라고 생각한 것이 그들에게는 오답이 될 수도 있다.

늘 열린 눈과 마음으로 배우려는 태도를 가진 이들은 함부로 평가하지 않는다. 타인의 실수에 대해서도 너그럽다.
'살다 보면 그럴 수도 있는 일, 이런 사람, 저런 사람 다양하게 있는 세상'

타인의 허물을 지적하기 전에 나를 돌아보는 태도는 서로의 차이를 존중하고, 개인의 독특함을 인정해주는 자세다.
결국, "남의 허물을 보기 전에 거울을 보자."는 말은 우리에게 타인을 판단하고 비판하기보다는 먼저 자신을 돌아보고 성찰하라는 교훈과 함께 수용하고 겸손한 태도로 살아가자는 의미다.

타인의 입장을 이해하고 그들의 삶을 인정하면, 거울을 들여다볼 시간도 줄어들 것이다. 거울을 통해 나를 바라보는 시간보다 스스로를 향한 눈으로 자신에게 집중하는 사람이 되어 있을 테다.

흔들리지 않는 마음은 어디에서 오는 것일까.

흔들리지 않는 마음은 어디에서 오는 것일까? 이 질문에 대한 답은 단순하지 않다. 그러나 분명한 것은, 흔들리지 않는 마음은 타고난 기질이나 성격에서만 오는 것이 아니라, 살아온 경험에서 뿌리내려 온다는 것이다.

중년은 삶의 중심축에 변화가 생기는 시기다. 청춘의 방황은 어느 정도 안정되고 인생의 후반을 준비하는 시기로 삶을 되돌아보고 미래를 계획하는 전환점이다. 깊은 내면 성찰이 일어나는 시기다.

중년에 이르러 자신을 좀 더 객관적으로 볼 수 있게 된다. 가정 내, 사회적으로의 입지를 확인하고 젊은 시절에 가졌던 이상과 꿈보다 현실을 있는 그대로 수용하는 모습을 보이기도 한다. 이러한 자기 수용은 좌절이 아닌 내면의 안정감을 가져다준다. 나의 경우는 그랬다. 평정심을 찾는데 많은 도움이 되고 흔들리지 않는 마음의 기반이 되었다. 흔들리지 않는 마음은 있는 그대로 받아들이는 방식에서 비롯된다고 볼 수 있다. 중년에 접어들며, 우리는 삶이 항상 예측 가능하거나 통제 가능하지 않다는 것을 알게 된다. 어떠한 일이 생기면 모든 문제를 해결하고자 고민하고 씨름하던 젊은 날과는 다르게 지금은 객관적인 눈으로 해결 가능한 일과 그렇지 못한 일을 구분 짓는다. 내가 손 쓸 수 없는 일이라면 있는 그대로 받아들인다. 어쩔 수 없는 일에 대한 애씀이 덜해진다.

감사한 마음이 흔들리지 않는 삶을 지탱해주는데 한몫했다고도 할 수 있다. 가진 것에 대한 감사함을 느끼고 작은 성취와 일상에서 즐거움을 찾는 삶은 남과의 비교를 내려놔 주었다. 존재의 감사함, 매일 건강하게 생활할 수 있음에 감사함, 생각보다 가진 것이 많다는 것에 대한 감사함이 비교, 불안으로 이어지지 않았다.

중년의 흔들리지 않는 마음은 시간과 경험을 통해 조금씩 쌓아올린 내면의 나이테다. 세월과 함께 서서히 형성되는 것이다. 이러한 깨달음은 더이상 흔들이지 않고 삶을 정면으로 마주 보게 해주었다. 흔들리는 것은 바람이 불어서이지, 나의 마음이 아니다. 흔들리는 것은 마음이 아니라 외부의 상황임을 깨닫게 한다. 우리는 나날이 단단해져 가는 중년이다. 중심을 잡는 나이다.

잠시 쉬어가도 괜찮다.

시간의 바람에 몸을 싣고, 끊임없이 달려온 삶의 여정 속에서 잠시 멈춰 서 보니, 나는 이미 마흔여섯 해라는 시간의 강을 건너고 있었다. 인생이 이토록 가파르고 도전적인 여행일 줄 알았다면, 나는 분명 그 길 위에서 잠시 숨을 고르며, 꽃피는 계절의 아름다움을 느끼며 여유를 가져봤을 것이다.

항상 조금만 더 가면, 조금만 더 오르면 그렇게 갈망하던 인생의 정상이 보일 것만 같았다. 그러나 그 길은 예상치 못한 굽이와 가파른 오르막, 때로는 내리막길로 이루어져 있었다. 산 정상에서 아래를 내려다보며 평온을 느낄 날을 꿈꾸며 걷고 또 걸었지만, 그 정상은 언제나 손에 잡힐 듯 멀기만 했다. 나는 지치지 않고, 때로는 헐떡이며 산 중턱까지 올라왔다. 숨이 차다.

괜찮다고 스스로에게 말해본다. 뒤처지더라도, 실패하더라도, 그 모든 순간들은 인생이라는 드라마의 한 장면일 뿐. 누군가 젊은 날의 나에게 이러한 인생의 진리를 가르쳐주었다면, 슬픔에 잠겨 있던 날들, 자신을 탓하며 보낸 시간들이 훨씬 줄어들었을 것이다. 인생은 기쁨과 슬픔, 실패와 성공, 도약과 좌절이 서로 얽혀 있다는 것을 이제야 이해한다. 번아웃이라고 생각했던 그 순간들이 사실은 성장과 숙성의 과정이었다는 것을 누군가 나에게 일러주었다면, 나는 그토록 외로워하지 않았을 것이다. 그 모든 경험은 삶을 살아가는 귀중한 부분임을 이제는 안다. 나이만 먹어온 것은 아닌가 보다. 세상 돌아가는 이치를 서서히 깨달아가는 것을 보니.

두려움과 불확실성 속에서도 굳건히 나아갈 수 있을 힘만 있다면, 정상이 조금 멀리 있다 해도 그 시간을 즐기며 갈 수 있다. 지금의 나는 그렇다. 중년이 된 나는 세월의 중력을 이긴 만큼 단단해졌다. 모든 순간은 우리가 쓰는 이야기의 한 페이지가 된다는 것을 알아버렸다.

작가의 말, 글을 마치며

봄을 재촉하는 비가 내리는 월요일이다. 남쪽 제주에서는 어젯밤부터 강풍이 분다는 속보가 들려온다. 큰 피해 없이 잘 지나가길 마음속으로 기도해본다.

변덕스러운 날씨처럼 우리의 삶도 예측할 수 없다. 오로지 변하지 않는, 흔들리지 않는 마음을 챙기고 계속해서 살아가는 수 밖에 없다. 삶의 어떠한 순간에서도 흔들리지 않는 마음을 유지할 수 있다면, 돌풍도 그저 잘 지나갈 것이다.

"단단한 마음만 있다면 흔들리는 건 네가 아니라 바람이다"라는 책을 마치며, 평소 감사의 마음을 전하고 싶은 사람들의 얼굴이 떠올랐다. 뿌리가 잘 내릴 수 있도록 햇살과 거름과 물이 되어 주는 이들이다.

비록 이 책의 페이지는 끝이 나지만, 우리의 인생은 계속된다. 각자의 삶에서 잘 뿌리 내려, 바람 앞에서도 흔들리지 않는 삶을 살길 소망한다.

24년 초봄, 손유진 올림